joyeux Noël 2015

P

UNE COLLECTION D'ÉPANOUISSEMENT INTÉRIEUR
Dirigée par Anne Ducrocq

On naît, on grandit, on vit, on prend des coups, on s'étonne. On esquive, on mûrit, on guérit, on avance. Et parce que la vie est la vie et qu'elle nous veut du bien, on rencontre sur le chemin des livres de sagesse et d'épanouissement intérieur : on y apprend à respirer avec le cœur ; la vie s'y faufile, vaste et libre, toujours en train de commencer.
Car il ne suffit pas d'être né, il faut renaître à l'essentiel.

Des histoires personnelles aux expériences universelles, de la foi au combat spirituel, des épreuves à l'amour, des blessures à la fin de vie,

tout est à vivre.

A. D.

Marcelle Auclair (1899-1983) vit une partie de sa jeunesse au Chili, où son père aide à reconstruire le pays, après un terrible tremblement de terre. Encouragée par ses parents dans toutes ses expériences artistiques et culturelles, elle fait ses premiers pas dès l'âge de 14 ans comme conférencière à la Biblioteca Nacional, fonde à 18 ans un salon historique et littéraire à Santiago. Elle poursuit sa carrière journalistique en France, où elle co-fonde *Marie-Claire*, premier journal féminin moderne.

La Vie de sainte Thérèse d'Avila
Seuil, 1950, 1990
Seuil, « Livre de vie », n° 77, 1967, 1989, 1996

Le bonheur est en vous
Seuil, 1951
et « Points Vivre », n° P3382

Bernadette
Seuil, « Livre de vie », n° 10, 1961

Enfance et mort de Garcia Lorca
Seuil, 1968

La Jeunesse au cœur
Vers une vieillesse heureuse
Seuil, 1970

À la grâce de Dieu
Seuil, 1973

Mémoires de deux voix
(avec Françoise Prévost)
Seuil, 1978

La Joie par l'Évangile
Seuil, « Livre de vie », n° 139, 1981

Le Livre du bonheur
Le bonheur est en vous *et* La pratique du bonheur
en un seul volume relié
Seuil, 1995, 2003

Marcelle Auclair

LA PRATIQUE DU BONHEUR

Seuil

ISBN 978-2-7578-5497-6

NOTE DE L'ÉDITEUR

Le bonheur et la psychologie positive sont aujourd'hui sur le devant de la scène. En cela Marcelle Auclair a été étonnamment intuitive, bien avant la mode du développement personnel. *La Pratique du bonheur*, qui fait suite à *Le bonheur est en vous*[*], date des années 1950. À l'époque, elle se confie : « Des romans offrant du monde et des humains une vision dramatique auraient mieux servi ma réputation d'écrivain. La joie de vivre semble vulgaire aux gens de lettres. » Elle ajoutait : « On enseigne tout aux gens, sauf à vivre. » Sa vision du bonheur et ses conseils n'ont pas pris une ride.

Sa façon d'envisager la vie est particulièrement pertinente et optimiste. Pleine de souffle.

Une grande dame intemporelle.

[*] Disponible dans la même collection, « Points Vivre », n° P3382.

On ne sait que ce que l'on pratique.
MONTESQUIEU

La *Pratique du bonheur* suivit de quelques années *Le bonheur est en vous*. Le livre fut écrit sur la demande instante de lecteurs qui voulaient progresser sur la voie de la paix intérieure, des heureuses réalisations extérieures.

Qu'est-ce que progresser, sur la route du bonheur ?

C'est raccourcir le temps qui nous est nécessaire pour substituer la pensée et la parole positives, créatrices de joie, de bien, à la pensée et à la parole négatives, créatrices de mal et de douleur.

Nous avons atteint le but lorsque la pensée positive se présente seule, spontanément, à notre esprit.

Voyez un écolier : au début des classes, il hésite devant le tableau noir, il lui arrive même d'écrire une solution erronée, qu'il efface pour lui substituer la solution juste. Au fur et à mesure qu'il travaille et s'instruit, l'hésitation est plus brève, il ne se trompe plus que rarement, et finit par écrire d'un jet la bonne réponse.

À l'école du bonheur, comme dans toutes les écoles, la pratique est primordiale.

J'ai donc multiplié les exemples concrets, les témoignages directs qui vous aideront à voir clair dans votre propre cas et à vivre, pleinement, tous les instants de votre vie.

Vous ne devez ni vous inquiéter, ni vous décourager lorsque vous n'y parvenez pas immédiatement. Lorsque l'écolier a effacé d'un coup de torchon les chiffres faux, les chiffres justes qu'il maintient ont seuls de la valeur. Une pensée négative aussitôt rejetée ne peut vous nuire. Seule compte celle que vous maintenez.

APPLICATION. Une pensée négative de découragement, d'inquiétude, un quelconque « Je n'ai pas de chance », « Je ne m'en tirerai jamais », etc., vous traverse-t-il l'esprit ? Effacez-les. Vous pouvez même faire mentalement l'opération d'effacer une phrase sur le tableau noir. En pensée, écrivez clairement la pensée positive. Maintenez-la.

Dites-vous bien que si vous persévérez, le jour viendra bientôt où la pensée positive se présentera seule : le bonheur, pour vous, sera devenu une habitude.

NOTRE GUIDE INTÉRIEUR

1

VOUS N'ÊTES PAS « TOUT SEUL »

Vous avez observé un enfant, vous vous êtes extasié sur ce « petit ange », même si vous ne croyez ni à Dieu, ni à diable, ni aux anges. Mais avez-vous songé au travail qu'accomplit l'enfant pour prendre contact avec l'univers, apprendre à distinguer les visages, à apprécier les distances, à faire usage de ses membres, pour acquérir peu à peu l'équilibre qui lui permettra de faire son premier pas ? À l'enfant qui monte ses premières marches d'escalier il faut autant de courage qu'à l'alpiniste qui escalade une haute montagne.

Et vous êtes-vous demandé pourquoi il n'est peine ou colère qui ne s'apaise lorsqu'un enfant sourit ?

Parfois la mère s'afflige en songeant que son petit perdra une partie de ses grâces en grandissant. Vient en effet le jour où il prend conscience de son intelligence humaine, de son individualité, de sa personnalité ; et il repousse l'aide maternelle : « Tout seul ! » Fier de sa force naissante il s'éveille à l'indépendance, il veut mettre ses souliers « tout seul », manger sa soupe « tout seul », s'aventurer « tout seul » dans l'appartement, sur le trottoir, dans la rue…

Il ne fait pas que s'éloigner, à ce moment, du giron maternel ; il se sépare aussi – et c'est le plus important – de l'Esprit en lui, de la force spirituelle qui l'habite et qui a été son guide de tous les instants depuis son premier cri. Il demeure en lui, l'Esprit, mais lorsque je dis qu'il s'en sépare, c'est que le petit homme cesse de l'écouter pour ne suivre que son « moi », son minuscule moi…

Car simultanément, il a découvert son « moi » : fait-on un geste devant lui, écrire, dessiner, tourner le bouton de la radio, il se précipite : « Moi, moi, moi !… » C'en est fait, il se détourne du commerce des anges pour ne plus hanter que les humains.

Étape indispensable, il doit prendre conscience de son individualité terrestre ; mais étape transitoire : ce « moi » terrestre, il doit le dépasser s'il veut atteindre à son développement total.

Un jour viendra, souvent bien des années plus tard, où ce « moi, moi, moi » lui semblera d'une insigne faiblesse, et ce « tout seul » une immense solitude ; heureux s'il cherche alors à reprendre contact avec son guide intérieur, l'Esprit en lui.

Notre vie est ainsi faite de conversions et de reconversions ; ces départs, ces retours, n'ont été épargnés ni aux croyants ni aux plus grands saints. Nous avons tous parcouru cet itinéraire : de la compagnie de l'Esprit à la solitude, de la solitude à la compagnie de l'Esprit.

Ce n'est qu'à partir du moment où nous « naissons à nouveau », en retrouvant en nous l'étincelle spirituelle, que nous retrouvons, en même temps, le bonheur. Cette lumière intérieure nous guide sur tous les plans, le plan de nos besoins les plus immédiats comme celui de nos plus hautes aspirations.

Non : vous n'êtes pas « tout seul »…

APPLICATION. Lorsque vous vous trouvez devant une difficulté, qu'elle soit petite ou grande, au lieu de considérer avec découragement votre impuissance, formulez clairement : « L'Esprit en moi sait, l'Esprit en moi peut ! »

2

UN MONDE SOUFFRANT

Cela dit, il est une part immense de souffrance dans le monde : drame des personnes déplacées, drame des vieillards, victimes des guerres, des ségrégations raciales, enfants abandonnés, anormaux, délinquants ; souffrance des mal logés, des mal nourris, des mal aimés. « Il eut pitié de cette foule. » Cette foule pitoyable est majorité.

Mais songez aussi à l'épaisse nuée de pensées négatives qui entoure notre planète ; et sachez qu'une pensée positive, chargée d'espérance et d'amour, peut percer ces ténèbres, et des milliers de pensées positives peuvent substituer la lumière à la nuit. Faire de nous-même une puissante batterie chargée de pensées positives, c'est puissamment aider la foule immense des souffrants.

C'est peu ? Nous ne sommes pas nombreux à penser bonheur, à vouloir bonheur, paix, abondance, santé pour tous ? C'est pourquoi il faut faire rayonner nos pensées positives autour de nous, démontrer, par notre exemple, que cela agit, que « ça marche ! » Et élever nos enfants dans cet état d'esprit. Les enfants sont merveilleusement perméables à l'atmosphère dans laquelle ils vivent ; si vous leur faites respirer un air vibrant des pensées de l'optimisme créateur, ils en seront imprégnés et les répandront autour d'eux, tout naturellement.

En Chine, à Pékin, quand il n'existait pas encore de service de voirie, les rues étaient d'une propreté impeccable. C'est bien simple : chaque famille chinoise nettoyait la rue devant sa porte... La ville était nette en un rien de temps.

Les Chinois sont des sages. J'ai aussi admiré ceci : deux fois par an, des camions passent, dans lesquels les ménagères peuvent jeter tous les « petits bouts de ficelle ne pouvant servir à rien », et assimilés, dont les femmes aiment à encombrer leurs placards. Ce nettoyage des vieux rossignols par le vide a son équivalence mentale : elle aide sans aucun doute à ne pas s'accrocher à un passé croupissant.

Le passé croupissant du monde, c'est le préjugé de la douleur inévitable. Détruisez-le en vous. Le jour où, homme par homme, femme par femme, enfant par enfant, chacun éliminera toute pensée négative et la remplacera par des pensées positives, cette vallée de larmes deviendra une vallée de sourires. De même que la rue chinoise était devenue un modèle de propreté, grâce à l'attention quotidienne de chacun de ses habitants.

APPLICATION. Lorsque la transmutation de vos pensées vous demande un grand effort, songez que vous n'agissez pas pour vous seul, mais que le rayon de lumière que vous émettez aide tous les hommes à voir plus clair.

3

« S'IL VOUS PLAÎT, PRIEZ... »

Un matin, coup de téléphone : c'est l'un de mes fils. Il me dit : – Je viens de recevoir un télégramme de l'un de mes anciens camarades d'université. Voici son message : «Peggy est en danger de mort. *Please pray...*» Je te le transmets.

«S'il vous plaît, priez...»

J'ai vu chez mon fils ce jeune ménage : lui, John, américain, a vingt-six ans. Sa jeune femme est une petite personne charmante, délicate, elle vient de mettre au monde son quatrième enfant. Elle est avec son mari, mais en terre étrangère, loin des siens : je sais à quel point, dans l'épreuve, on a besoin de trouver du réconfort auprès des parents et des amis de longue date, et j'imagine leur isolement.

«S'il vous plaît, priez...»

C'est un dimanche. Avant de partir pour la messe avec mes petits-enfants, je leur explique : «Une maman est très, très malade. En suivant la messe, pensez à elle, confiez-la au Bon Dieu, demandez-lui de la guérir… Et continuez à prier pour elle, tous les jours, jusqu'à ce que nous ayons de ses nouvelles. »

À leur regard, j'ai compris qu'ils sentaient retentir eux aussi dans leur cœur le lointain appel : « S'il vous plaît, priez… »

Et les jours ont passé. Mon fils avait téléphoné à John et appris que le cas était des plus graves : après l'accouchement, infection, causant une double pleurésie, une double phlébite, et une embolie, dont avait triomphé le désir de vivre d'une jeune femme pourtant fragile. Une seconde embolie était à craindre, à laquelle elle ne résisterait pas. Mais : « S'il vous plaît, priez ! »

Nous en étions là. Nous repoussions toute anxiété, et nous répétions quand nous pensions à elle : « Je n'ai jamais vu pareille foi en Israël… » Et nous savions que le Maître avait dit aussi : « Va, ta foi t'a sauvé… »

Trois semaines plus tard est arrivée une lettre de John : Peggy était sauvée. Elle avait eu quatre embolies, après la première… Il avait fallu boucher une veine de la jambe, lui placer des drains dans les côtes. Il avait fallu la changer d'hôpital pour la soumettre à des traitements de plus en plus délicats. Mais : « S'il vous plaît, priez… »

Je ne puis mieux faire que traduire les deux derniers paragraphes de la lettre de John ; puissent-ils éveiller un écho dans le cœur de tous ceux qui souffrent :

« ... Pour les médecins, Peggy est un miracle vivant. La raison pour laquelle elle est un miracle vivant est qu'elle a reçu l'aide puissante de la prière à travers toute sa longue épreuve. Amis et parents, des amis d'amis et même des étrangers ont prié pour elle dans le monde entier. On a prié pour elle dans des églises du Canada, en France, en Italie, en Allemagne, aux États-Unis, à Boston, à Princeton, à New York, et à bien d'autres endroits encore. Des baptistes, des épiscopéliens, des catholiques, des presbytériens ont prié pour elle, et je sais même un adventiste du Septième Jour qui a prié avec nous tous. Je crois bien que je serais moi-même stupéfait d'apprendre le nombre de gens qui ont prié pour Peggy. Ils sont peut-être des milliers.

« Ce n'est sûrement pas le Seigneur qui change Sa volonté sous l'influence de la prière des hommes, ce sont les hommes qui sont changés par leurs prières à Dieu ; mais Il a certes été touché par le flot des prières déversées pour Peggy. Du moins Sa volonté à notre égard s'est-elle montrée merveilleusement compatissante. Jamais désormais nous ne pourrons ignorer ce Dieu Vivant. »

Et voilà. J'espère que vous êtes sensible comme moi à ce témoignage de fraternité humaine. Le cri de milliers d'êtres de toutes nationalités, et même de tous credos, vers le Dieu unique, a sauvé une jeune femme. Cela, parce qu'un garçon, laissant de côté tout respect humain, a osé faire appel à la prière de tous.

Si nous avions la foi, gros comme un grain de sénevé, cette même prière collective, ce même cri unanime, pourrait sauver le monde.

« S'il vous plaît, priez… »

4

LES FAUX DIEUX

Il fut un temps où, l'un de mes fils et moi, nous nous amusions à chercher les éléments d'un opuscule qui devait avoir pour titre : *Petit Dictionnaire de la mythologie bourgeoise.*

Exemple : Fortune. Déesse mère. Cette divinité est habituellement représentée « assise ».

C'était, en somme, un inventaire humoristique des faux dieux de notre société. Ce « petit dictionnaire » n'a jamais été écrit, il n'en est pas moins vrai qu'il n'est caste, qu'il n'est individu, homme, femme, ou même enfant, qui n'ait ses faux dieux, qu'il adore.

Vous et moi nous avons les nôtres. Ils ne sont pas toujours aussi spectaculaires, aussi avoués, que le veau d'or ; n'empêche que nous leur élevons des temples, sinon sur nos places, du moins dans nos cœurs ; nous jetons sur leur autel des perles que notre ignorance prend pour des grains de mil. Certains leur immolent des êtres vivants : que fait d'autre le père qui sacrifie le bonheur de ses enfants à son orgueil, ou à ses idées personnelles ? L'employeur qui, adorateur de son coffre-fort, pour mieux l'enfler et le gonfler, condamne ses ouvriers à un travail inhumain, aux dégradations de la misère ? Sans parler de ceux qui jettent des millions d'hommes dans la gueule du Moloch qu'est la guerre.

Mais ne nous occupons pas des autres : nous avons assez à faire avec nous-même.

Faux dieu, le personnage sur qui vous comptez pour vous «pistonner» opportunément… Vous vous désespérez parce qu'il vous fait défaut ? Le vrai Dieu peut fort bien agir sans lui…

Faux dieu, l'argent sur lequel vous comptiez et qui vous passe sous le nez. Au lieu de l'adorer en répandant vos regrets à ses pieds, orientez-vous vers la source de tous biens, avec la certitude qu'elle est surabondante.

Fausses déesses, les petites pilules dont votre estomac ne saurait se passer…

Faux dieu, le grave défaut que vous contemplez obstinément chez un être cher, au lieu de faire confiance à l'Esprit qui est en lui, et qui ne peut que manifester ses vertus pour peu que vous reconnaissiez qu'elles sont bien là, cachées, mais présentes.

Vous saisissez le processus ? Vous faites d'un objet perdu un faux Dieu qui vous cache que le vrai Dieu est omniprésent, d'une erreur une fausse déesse qui vous fait oublier que le vrai Dieu est omniscient, du mal transitoire un faux dieu qui vous fait négliger, mépriser, le vrai Dieu, le vrai Bien éternel.

Ceux qui se croient incroyants sont en réalité des idolâtres, car ils font des faux dieux de tout et de n'importe quoi, d'un homme politique ou d'hommes politiques successifs, d'une femme ou de femmes successives, de leur gloriole ou de leur timidité, de l'argent ou de la misère, de leur moi-moi-moi, ou du moi-moi-moi de leur ennemi de prédilection.

APPLICATION. Lorsque vous vous surprenez à accorder à un événement, à une personne, à un sentiment, à quoi que ce soit, une prépondérance dans votre vie, en bien ou en mal, demandez-vous : « Ne suis-je pas en train d'en faire un faux dieu ? » Renversez l'idole, et laissez agir le Dieu véritable.

LA HARPE MAGIQUE

Il est des légendes taoïstes qui, en plus de leur grande beauté, contiennent de précieux enseignements. Tel est le conte de la *Harpe apprivoisée*.

Il était une fois un bel arbre qu'un magicien transforma en harpe, une harpe-fée ; mais l'étonnant instrument ne devait faire entendre ses sons merveilleux que sous les doigts du plus grand musicien du monde.

C'est en vain que son propriétaire, l'empereur de Chine, invita de grands artistes à en jouer : ils ne tiraient de la harpe que des dissonances à faire grincer les dents. Enfin arriva le prince des harpistes, Peiwoh, et le miracle se réalisa : sous ses doigts s'éleva une mélodie admirable où l'on reconnaissait toutes les beautés de la nature, la splendeur des forêts au soleil levant, la douceur du clair de lune, les rumeurs du vent, le bruit caressant ou violent des vagues ; il rendait même perceptibles les effluves qui montent de la terre à toutes les saisons.

L'empereur, sa cour étaient muets d'admiration. L'empereur parla enfin :

– Quel est, dit-il au musicien, le secret de ta victoire?

Il répondit:

– Si tous les musiciens ont échoué, c'est parce qu'ils ne cherchaient à chanter qu'eux-mêmes. Quant à moi, j'ai oublié l'être que je suis. J'ai laissé la harpe libre de choisir son thème, et en vérité, je ne savais pas si c'était la harpe qui était Peiwoh ou si Peiwoh était la harpe…

Pour tirer des sons justes, harmonieux, de la vie, nous n'avons rien à faire d'autre que Peiwoh devant l'arbre musicien: nous oublier nous-même. Car ce Chinois de légende rejoint saint François d'Assise, sainte Thérèse d'Avila qui, eux aussi, surent faire rendre à ce monde des mélodies transcendantes. «… C'est en s'oubliant qu'on trouve…» disait saint François. «Dieu sait ce qu'il nous faut mieux que nous ne savons ce que nous voulons», disait sainte Thérèse. Notre imagination est souvent trop faible pour concevoir l'ampleur du bonheur, et notre ambition trop timide.

APPLICATION. Êtes-vous sûr que ce que vous souhaitez si ardemment fera votre bonheur? Déliez-vous de votre propre désir, demandez à votre Guide intérieur de vous conduire vers votre plus grande joie, non seulement pour votre plus grand bien à vous, mais pour celui du plus grand nombre d'êtres humains. C'est ouvrir la porte aux réalisations inattendues et splendides.

NOTRE GUIDE INTÉRIEUR

Dans *Le bonheur est en vous,* je vous ai parlé de notre Guide intérieur, que nous appelons l'intuition, et de l'étonnante précision de ses directives. J'ai insisté sur le sommeil, qui porte conseil, à condition que nous nous endormions dans la paix, après nous être branchés sur les bonnes ondes. Je n'insisterai donc pas ici sur ces principes, mais je vous donnerai des exemples qui seront, je l'espère, assez éloquents pour vous convaincre.

L'histoire suivante m'est arrivée à moi-même, elle mérite d'être contée.

Il fut un temps – tout de suite après la guerre – où j'allais à Londres assez fréquemment. Il était encore difficile de voyager à cette époque, j'eus donc l'idée, à la veille de l'un de ces séjours, d'écrire à un journal auquel je collaborais pour demander qu'on retienne ma place pour le retour. À mon arrivée, on me remit mon billet dans une enveloppe ; je le rangeai et n'y pensai plus.

Le matin du départ, je décidai de dépenser ce qui me restait de livres sterling et, chose curieuse, étant donné combien il est facile de dépenser de l'argent, il me fut impossible d'y arriver… Je me trompai d'adresse lorsque j'allai chercher certaine serviette en cuir, la librairie où je voulais acheter des livres était fermée, l'amie que j'invitai à déjeuner s'arrangea de manière à payer malgré moi, je ne trouvai pas de gants fourrés à ma pointure…

Rentrée à l'hôtel, je pris l'enveloppe qui contenait mon passage de retour, et je compris : l'employée qui s'était chargée de la location avait réservé la place, sans prendre le billet. Je ne m'en serais pas doutée, étant donné qu'en France il est impossible d'obtenir l'un sans avoir payé l'autre…

Si mon guide intérieur n'avait manœuvré toute la journée pour m'empêcher de dépenser mes livres sterling, je n'aurais plus eu un sou pour rentrer… Il me restait la somme exacte, y compris mon dernier shilling pour le porteur…

Mon « moi-moi-moi » avait pourtant créé toutes les obstructions possibles, mais une fois qu'on est branché sur les bonnes ondes, on y est bien ! Désormais, un obstacle est interprété comme un signe, et l'attention que j'y porte m'a évité des mauvais pas.

Attention ! Il est des obstacles qu'il faut surmonter, ils se dressent devant nous pour exercer notre courage. Il en est d'autres qui sont l'équivalent de « sens interdit » ou « danger ». Votre intuition vous aidera à les distinguer.

APPLICATION. Répétez-vous obstinément : « J'ai de l'intuition... Mon intuition est la voix de mon Guide intérieur. Il me conduit et je lui obéis. »

INTUITION ET
« OBJETS TROUVÉS »

Le thème « intuition » a suscité de nombreux témoignages. Voici l'un d'entre eux.

Une dame qui prend tous les huit jours l'autocar pour aller en banlieue a l'habitude de tricoter en cours de route. À l'arrivée, elle enveloppe son ouvrage dans du papier blanc et met le tout dans une mallette.

Un matin, à peine descendue du car, elle se sent poussée à remonter voir si elle n'a pas oublié quelque chose. Elle résiste en se disant : « Je deviens maniaque. » Elle fait quelques pas vers la sortie et doit lutter contre son envie de retourner voir dans la voiture, tant et si bien qu'elle regarde dans son sac à main si son portefeuille y est bien : tout est correct, et elle s'en va.

Mais, arrivée chez elle, en déballant ses affaires, elle constate l'absence de son tricot : il avait dû glisser de ses genoux et, par distraction, elle avait simplement remis le papier en place... Ce n'était pas en vain que son intuition lui avait ordonné de retourner inspecter le car… Elle avait commis une sottise en n'obéissant pas. À la gare, personne n'avait rien rendu.

Il lui restait maintenant à agir, en esprit : profiter de la leçon, et se jurer de ne plus négliger, à l'avenir, une intuition. LA LEÇON BIEN ENREGISTRÉE, ELLE DEVAIT NORMALEMENT RETROUVER L'OBJET ÉGARÉ : car nos ennuis ne sont que des enseignements qui nous sont donnés, ils disparaissent lorsque cet enseignement est acquis, de même que les manuels de seconde disparaissent lorsqu'un élève entre en première.

Elle déclara donc que dans l'harmonie universelle, où le moindre brin d'herbe a sa place, son tricot lui appartenait et devait lui revenir. Elle remercia pour l'objet retrouvé, et s'interdit d'y penser à nouveau.

Huit jours plus tard, alors qu'elle reprenait le même car, un employé l'appela : « Vous avez réclamé un tricot égaré ? Une dame l'a rapporté hier… »

Et voilà.

8

ÉCOUTEZ VOTRE INTUITION

Il m'est arrivé de ne pas obéir à une intuition précise : toujours il m'en a cuit.

Voici l'un de ces cas : j'avais promis à deux de mes petits-enfants d'aller les voir à la campagne et d'emmener une petite fille de dix ans jouer avec eux. Ce matin-là, je me réveillai avec un sentiment très net : « Ne sors pas en voiture aujourd'hui. » Je le dis à ma mère :

– Tu ne vas pas causer cette déception aux enfants, dit-elle…

Là-dessus, un de mes fils me téléphone :

– Ne va pas à Saint-Nom. C'est une idée que j'ai… Cela peut te sembler bizarre…

Cela ne me semblait pas bizarre, mais… (Ah ! les « mais » ! Quel mal ils nous font !) Il y avait Aline, Thierry, leur amie Sabine, qui se faisaient une telle fête de cette rencontre !

Nous partîmes, après déjeuner. Je voulais prendre la route habituelle, qui évite Versailles. Mais la petite

Sabine n'avait jamais vu le palais de Louis XIV. À contre-cœur, je changeai d'itinéraire.

C'est là, en traversant cette ville, qu'à un passage clouté une dame descendit du trottoir en regardant derrière elle et se précipita sous ma voiture. Elle ne fut blessée qu'au pied, mais que d'ennuis s'ensuivirent ! Alors que si j'avais obéi à l'ordre précis qui m'avait été notifié deux fois, rien ne me serait advenu.

On peut objecter que l'appréhension que j'avais a fort bien pu bloquer mes réflexes : pourtant, j'allais à une extrême lenteur, et j'ai freiné immédiatement, sur place. La blessée a déclaré elle-même s'être précipitée sur la chaussée en regardant derrière elle... C'est donc son inattention et son mouvement brusqué qui ont provoqué l'accident. Si je n'avais pas été là, mais chez moi, elle se serait probablement fait cueillir par quelqu'un d'autre... L'Esprit qui est en moi voulait m'éviter d'être l'instrument d'un événement fâcheux.

J'ai juré, mais un peu tard, qu'on ne m'y reprendrait plus.

Ne croyez pas que cette attention à notre voix intérieure, à ses commandements, puisse rendre inquiet, hésitant, pusillanime ; je l'ai dit dans *Le bonheur est en vous* : lorsqu'on a entendu deux ou trois fois dans sa vie ces ordres de notre « plus secret conseil », lorsqu'on leur a obéi, ils se manifestent avec une telle force et une telle clarté qu'on ne peut les confondre avec une idée en l'air. Non seulement ils sont précis, péremptoires, mais il s'ensuit un déploiement de forces pour accomplir ce qui nous est demandé.

Si nous voulons pouvoir compter sur ces mises en garde, sur ces directives, il faut obéir, non seulement sans discuter, mais sans hésiter.

APPLICATION. Efforcez-vous de distinguer vos intuitions des idées qui vous passent par la tête. Soyez patient, vous saisirez un jour la différence...

9

SOUVENIRS DE L'EXODE DE 1940

Dans *Le bonheur est en vous**, j'avais insinué, en quelques lignes, que le dramatique exode de juin 1940 avait fortifié ma foi dans les lois de la pensée créatrice de tout bien. On m'a beaucoup écrit : « Comment se peut-il ?… Donnez des détails. »

En voici quelques-uns :

Parties de Paris avec ma mère et une amie le 9 juin, arrivées à Clermont sans difficulté – je n'empruntais que les petites routes –, ordre fut donné aux collaborateurs du magazine *Marie-Claire* repliés de partir pour Bordeaux.

Au cœur de l'Auvergne, j'eus la preuve de la puissance d'une attitude calme dans l'affolement général, et d'un mot gentil, quelles que soient les circonstances.

À un carrefour dit « les Quatre Chemins », un gendarme régnait sur des files de voitures venues de tous

---

* Disponible dans la même collection, « Points Vivre », nº P3382.

les azimuts et s'égaillant dans toutes les directions. Il n'était pas de bonne humeur, le brave homme, lorsque je m'arrêtai auprès de lui pour lui demander :

– Monsieur, nous sommes épuisées, affamées. Connaîtriez-vous une maison où on aurait la bonté de nous accueillir pour la nuit ?

Il répondit d'une voix bougonne :

– Tout est plein, il n'y a rien !

Qu'avons-nous dit, en nous remettant tristement en marche ? Qu'avons-nous fait, sinon contempler en nous la bonté du Créateur, dont rien ne saurait faire douter ? Le fait est, qu'à peine avions-nous roulé quelques mètres, la voix du gendarme retentit derrière nous :

– Hep !

Marche arrière. Il se penche à la portière, et nous dit d'un ton confidentiel :

– Allez voir en face. Vous direz que vous venez de ma part.

En face, c'était une épicerie. La patronne, une femme brune, petite, toute douceur. Elle tira de sous son comptoir des boîtes de conserve et de son armoire les draps de ses noces, ornés de dentelles hautes comme ça… Nous fûmes non seulement accueillies, nourries, couchées, mais fêtées : c'est bien là l'expression suprême de la charité.

Le lendemain, je demandai au gendarme, en le remerciant :

– Pourquoi nous avez-vous réservé le privilège d'un si bon gîte, à nous en particulier?

Il eut un bon sourire:

– Vous m'avez parlé poliment, gentiment. Si vous saviez comme la plupart des gens sont désagréables!

Évidemment, les circonstances se prêtaient à la mauvaise humeur; mais voici ce qu'il faut savoir: il est d'autant plus important d'être calme, affable, que tout est fait pour agacer nos nerfs et susciter l'angoisse. C'est ainsi que le sort aime qu'on lui tienne tête: avec le sourire.

APPLICATION. Maîtrisez la mauvaise humeur. Remplacez-la par une inépuisable gentillesse, par une bonne volonté à toute épreuve.

10

REMPLACEZ…

J'ouvre ici une parenthèse. Je dois vous expliquer l'importance de ce mot : « Remplacez… »

Lorsque vous arrachez une pensée négative, il est de toute urgence de la remplacer par une pensée positive : la nature a horreur du vide. Si vous ne mettez rien de bon à la place, la pensée négative reviendra.

La nature nous fournit un exemple ; comme toujours, l'observation des lois naturelles suffirait à nous instruire, si nous y prêtions attention.

Que se passe-t-il lorsqu'un terrain est plein de mauvaises herbes ? On les arrache, mais elles ont tôt fait de repousser. Sauf si on plante à leur place des pommes de terre ou, à défaut, de la luzerne… La bonne plante qu'est la pomme de terre mange la mauvaise herbe… N'est-ce pas merveilleux ?

J'ai bien compris l'importance de remplacer l'image ou la pensée négative par leur contraire positif le jour où, après avoir passé un moment dans mon jardin, en plein soleil, à arracher des chardons, j'eus la surprise, une demi-heure plus tard, en fermant les yeux, de voir que des chardons étaient comme imprimés dans ma rétine… J'ai compris : la fois suivante, après la séance d'arrachage, j'ai été travailler autour des dahlias… Affaire de substituer des fleurs à la mauvaise herbe…

Notre subconscient est encore plus sensible que notre rétine. Nous devons prendre garde à ce que nous contemplons, fût-ce pour l'arracher. Lorsque nous voulons éliminer une passion néfaste, une tendance mauvaise, nous devons projeter à la place, immédiatement, une passion ou une tendance de remplacement, avec une égale vigueur, et faire preuve d'une ténacité à toute épreuve dans la continuité de l'effort : arrachage, remplacement, jusqu'à ce que la passion ou la tendance finissent par céder à l'habitude nouvelle.

Ne perdez pas patience ; la peur, la critique, le doute de soi, l'inquiétude, etc., sont d'une extrême ténacité, ce n'est que petit à petit que vous parviendrez à changer vos réflexes. Mais si vous persévérez, vous y arriverez *sûrement*.

APPLICATION. Chaque fois que vous surprenez en vous une pensée négative – ce chiendent, ces chardons, ces orties dans le champ de notre conscience –, arrachez mais hâtez-vous de les remplacer par des pensées positives – la bonne pomme de terre. Relisez l'Évangile selon saint Matthieu, XII, 43-45 : vous verrez que lorsque l'Esprit impur est sorti d'un homme, si, revenant, il trouve la place vide, il s'y installe à nouveau. Faites régner en vous le pur Esprit.

TRAITEMENT CONTRE LA PEUR

Nous arrivâmes à Bordeaux le 19 juin 1940. Cela ne vous dit rien ? Pour plus d'un million de personnes, cette date est restée une date fatidique.

On imagine mal, quand on ne l'a pas vécu, le sinistre torrent des réfugiés, cinq rangs de voitures, pare-chocs contre pare-chocs, sur le pont de pierre, tout Paris, un Tout-Paris hâve, mal lavé, hagard, projeté sur la place des Quinconces et la place du Théâtre. Cela suait le drame, et c'était déchirant ; mais cela suait aussi la peur, et c'était répugnant. Nos élus, nos ministres, se croisaient sans se regarder ; l'appel de De Gaulle, la veille, en torturait déjà quelques-uns. Les portières des voitures claquaient, les ordres contradictoires s'entrecroisaient. C'était la pagaye. C'était la honte. C'était la frousse.

C'était aussi la poudre d'escampette.

Sur un trottoir, une femme jaillie de la porte d'un grand hôtel m'agrippa ; c'était la femme de l'un de nos ministres. Elle n'avait pas l'habitude de me tutoyer, mais elle me dit :

— Qu'est-ce que tu fais là?

— Tu vois. Comme toi, je me réfugie.

— Monte dans ma chambre, n° X. Tu trouveras ma secrétaire. Il y a encore des places sur un bateau prêt à partir. Dis-lui de ma part de t'en donner une.

J'écarquillai les yeux. Elle ajouta :

— Tu n'as qu'une chose à faire : fiche le camp !

Là-dessus, elle disparut. Eh bien non ! Je ne ficherai pas le camp ! Devant cette débandade, je n'avais qu'une envie : avoir du courage.

Ce soir-là, nous trouvâmes abri dans un couvent. Vers les onze heures, le bruit des avions, immédiatement suivi de l'éclatement des bombes, nous réveilla. Il n'était pas question d'allumer la lumière, et nous ignorions le chemin des abris. Vêtues à tâtons, nous fîmes ce qu'il ne faut jamais faire : nous nous réfugiâmes sous l'escalier.

La maison où nous étions était-elle réservée à des dames pensionnaires ? Une pauvre vieille descendit en criant et se tapit contre moi. À chaque sifflement de bombe, elle poussait un hurlement. Je la pris par le poignet. Je sentais trembler dans ma main ses vieux os et, pour la faire taire, je me mis à crier plus fort qu'elle ; je disais des *Ave* à tue-tête.

C'est là que je fis connaissance avec la peur physique, après avoir, quelques heures auparavant, vu de mes yeux la peur morale. Non, cela n'était pas digne de l'être humain tel que le Créateur l'a conçu.

À l'aube, nouvelle alerte ; cette fois, nous allâmes dans l'abri… On devinait dans le noir un long souterrain, assez étroit, peuplé d'une foule serrée sur les bancs de bois, de chaque côté. On entendait toujours, vaguement, de l'épaisseur de la terre où nous étions enfouis, le sifflement des bombes. Mais là, c'était le silence. Je dirai même : c'était la paix. Dans ce silence, témoin de cette paix, une voix montait, pure comme un rayon de lune dans les ténèbres : « Vers vous, Seigneur, j'ai élevé mon âme… »

Un murmure calme répondait :

« Mon Dieu, je mets ma confiance en vous… »

Je puis le dire en vérité : le temps que je passai là, dans la paix qui règne bien au-dessus de la terre et de ses nuées, fut l'un des plus beaux moments de ma vie.

Je n'ai pas vu de mes yeux ces religieuses, car nous avons quitté le couvent aussitôt l'alerte finie, mais le souvenir de ces voix angéliques m'a souvent aidée à prendre de la hauteur lorsque la tempête semblait faire rage.

Les bombes tombées tout autour de cet asile n'avaient pas éclaté ; c'est naturel, il n'aurait pas pu en être autrement.

APPLICATION. Pour dramatiques que soient les circonstances, faites comme l'avion par mauvais temps : élevez-vous au-dessus des orages par un vigoureux envol de l'Esprit, par des affirmations paisibles : « L'Éternel est mon refuge, j'ai fait du Très-Haut ma demeure. »

12

LES ANGES SE DÉGUISENT...

J'ouvre une parenthèse pour vous expliquer pourquoi j'ai déclaré que le mécanicien sauveur était un ange.

Je ne sais où j'ai lu, ou entendu, l'histoire mahométane suivante :

Un voyageur mahométan s'était perdu dans le désert : la mort semblait devoir être son lot. Se tournant vers La Mecque, il invoqua Allah : « Envoie-moi un de tes anges pour me donner à boire ! » Il avait à peine prononcé ces mots qu'apparut à l'horizon un point noir qui grandit : c'était un chamelier.

Il donna à boire à notre homme, et le remit dans le bon chemin. Mais le voyageur était déçu : « J'avais demandé à Allah de m'envoyer un ange, et il ne m'a envoyé qu'un chamelier... »

Ingrats que nous sommes, qui nous refusons à voir dans ceux qui nous aident des émissaires d'Allah et prenons ce prétexte pour négliger de le remercier...

APPLICATION. Au cours de cette journée, vous avez rencontré des anges... Bénissez toute main secourable ou simplement amicale.

13

LIBRES DANS L'OBÉISSANCE

Pour écouter notre intuition, cette voix ténue qui parle en notre for intérieur, il ne faut pas que nous soyons pleins de nous-même, obsédés par l'objet de nos ambitions ou de nos désirs, mais il faut, au contraire, nous refuser à prêter l'oreille à notre moi-moi-moi ; nous devons vivre détachés, disponibles, détendus, libres. Une fois notre vœu, certes, clairement défini, acceptons d'avance les décrets de Celui qui en sait, en nous, plus long que nous ; nous n'avons rien à craindre puisque nous sommes « enfants » et non « esclaves ». Notre guide sait ce qu'il nous faut mieux que nous ne savons ce que nous voulons ; nous l'aimons, il nous aime, ce qui adviendra sera donc pour notre plus grand bien.

En attendant, agissons calmement mais énergiquement dans le sens souhaité, en gardant toujours *l'esprit libre*. Il faut être libre pour garder le calme intérieur, et pouvoir obéir à la première injonction de notre guide.

Lorsque je suis partie avec ma mère sur les routes de l'exode, j'étais libre, en ce sens que j'avais tout remis dans les mains de mon Père ; j'avais pris les mesures de prudence humaine légitime, fait deux parts de mes affaires, linge, livres, etc., laissé une part à Paris, mis l'autre à la campagne. Je puis dire loyalement que je quittai le tout sans inquiétude, parce que sans regret. Si cela m'était ôté, mon guide saurait me conduire vers autre chose où sans doute je me réaliserais pour le mieux, puisque ce serait conformément à son plan. L'expression courante «à la grâce de Dieu» correspond exactement à cet état d'esprit.

Je partis donc libre, c'est-à-dire déliée des biens de ce monde ; je les confiais à celui qui m'en avait donné la garde pendant le temps de mon passage sur cette terre. Et vogue la galère !

C'est dans ce sens de détachement que sainte Thérèse d'Avila écrit à la duchesse d'Albe, qu'accablaient de multiples soucis : «Comme je voudrais vous voir plus libre !»

Je conçois votre étonnement, tant il est habituel de croire qu'être libre, c'est n'obéir à rien d'autre qu'à notre volonté ou notre bon plaisir. Erreur dont les conséquences sont immenses et souvent dramatiques. Imaginez le musicien «libre» qui ne voudrait pas suivre la partition. Or, pour jouer juste, pour créer en ce monde l'harmonie, nous devons obéir au compositeur, et au chef d'orchestre : il est en nous.

APPLICATION. Conduisez-vous en libre créature de l'auteur de toute harmonie : jouez la note juste, en mesure. Ainsi, vous serez libre.

14

PUISSANTS DANS L'HUMILITÉ

Obéissants, donc libres. Humbles, donc puissants. En quoi l'humilité est-elle une force ? Encore une vertu qui a, en ce monde, mauvaise réputation. « Moi (moi-moi-moi) je suis très orgueilleux ! » Déclaration dont bien des gens sont fiers.

L'orgueil est une faiblesse souvent mortelle ; imagine-t-on le ruisselet qui se couperait de sa source, croyant exister en soi, et se suffire à lui-même ? Quelques ondées lui permettraient peut-être, la mauvaise saison aidant, de courir quelque temps sur le sable et les galets, mais au premier jour de sécheresse, il disparaîtrait à jamais.

L'orgueil crée un barrage entre la source et nous. Pour qu'elle ne cesse de nous abreuver, nous devons admettre que tout nous vient d'elle, que par nous-mêmes nous ne sommes rien, nous ne pouvons rien, et tout faire pour ne point aveugler les voies par où l'eau vive afflue en nous.

Cette humilité doit naître de la connaissance ; du même coup, nous admettons nos limites en tant que créatures, et notre grandeur, en tant que créés par le Créateur de toute perfection.

L'humilité vraie n'est point basse, elle n'est point déprimante, et jamais déprimée ; elle sait qu'il lui suffit d'une prise de conscience pour que l'eau abondante afflue en elle, comme d'une prise d'eau dans un jardin.

Là encore, sainte Thérèse nous donne la note juste. Pour elle, « l'humilité c'est la vérité ». Pourquoi n'admettrions-nous pas que nous avons des qualités, que nous avons fait quelque chose de bien, sachant que nous n'avons été qu'un instrument ? Aussi écrit-elle au sujet du manuscrit *Le Château de l'âme* qu'elle vient de terminer : « … Cet ouvrage dépasse de beaucoup le précédent ; car il ne traite que de Lui (Dieu)… et les émaux, les ciselures, en sont plus délicats… L'orfèvre qui l'a fait n'en savait pas autant à l'époque, l'or est d'un titre plus élevé, bien que les pierreries ne soient pas aussi visibles… » (Lettre CCV.) C'est ainsi que s'exprime la créature, quand elle fait de ses dons un emploi conforme à la volonté de son Créateur. Car lorsque sainte Thérèse avait commencé son ouvrage, elle avait eu le sentiment de son impuissance personnelle, mais elle avait obéi à l'obligation où elle était de l'écrire. Avec quelle humilité ! « … Je suis, à la lettre, comme les oiseaux à qui on apprend à parler, et qui ne savent pas ce qu'on leur enseigne… Si le Seigneur veut que je dise du nouveau, Sa Majesté me le donnera… Si je parviens à l'exprimer, il est bien entendu que cela n'est pas de moi ; je suis douée de peu d'entendement, et je n'aurais nulle habileté pour des choses semblables si le Seigneur, dans sa miséricorde, ne m'en donnait point… » (Prologue.)

La voilà bien, la dynamique humilité, l'humilité-force… Ceux qui la connaissent et, peu à peu, s'exercent à la pratiquer, n'ont pas besoin de la psychanalyse pour guérir leurs complexes d'infériorité.

Nous ne sommes jamais aussi importants que nous le croyons, ni aussi misérables que nous le craignons ; nous valons quelque chose dans la mesure où nous laissons l'Esprit qui est en nous s'exprimer librement à travers nous.

Un point, c'est tout.

APPLICATION. Agissez selon la parole de saint Paul : « Ce n'est pas moi qui vis, mais c'est Dieu qui vit à travers moi. »

15

PRIÈRE ET ORAISON

Comment peut-on acquérir ou confirmer la conscience de cette présence constante de l'Esprit en nous ? Par la prière, par l'oraison.

Pour parler de la prière il faudrait des volumes ; j'en ai dit quelques mots dans *Le bonheur est en vous*.

Mais il s'agit pour nous de faire un pas de plus ; l'étage supérieur de la prière est l'oraison, tâchons d'y monter.

On a beaucoup controversé sur prière ou oraison vocale, prière ou oraison mentale. Sainte Thérèse d'Avila a simplifié la question ; pour elle, une prière vocale est déjà de l'oraison, à condition que chaque mot soit prononcé en pensant à ce qu'on dit. Songez, un seul instant, aux mots : « Je crois en Dieu… » ou « Notre Père… ». Si vous les prononciez en pensant de tout votre être à ce que vous dites, en prenant conscience des splendeurs qu'implique cette croyance en la Paternité divine pour votre personne terrestre comme pour votre âme éternelle, vous n'auriez nul besoin de poursuivre la lecture de ce petit livre : vous sauriez tout, vous auriez tout, vous seriez tout, et bien au-delà de ce que vous pouvez imaginer. C'est pourquoi sainte Thérèse dit à ses filles qu'elle préfère qu'elles ne disent qu'un seul *Pater* en pensant à ce qu'elles disent, plutôt que de multiplier machinalement les patenôtres.

Le petit enfant qui chantait sa prière du soir sur un air de son invention, y ajoutant des mots de son cru pour louer le Seigneur des joies de la journée, avait déjà un sens émouvant de la vraie prière, de l'oraison authentique.

Quelle différence y a-t-il entre prière et oraison ? J'utiliserai pour vous le faire entendre une comparaison simpliste, que je crois claire.

Que fait un croyant fidèle, mais pressé, soucieux de toutes choses, sauf de l'évolution vers le haut de sa vie spirituelle ? Il fait ses prières hâtivement, et souvent même distraitement. Il accomplit ainsi un devoir louable, mais qui n'a guère de résonance au profond de lui-même.

Que fait celui qui veut vivre de la vie spirituelle, anéantir les barrières entre sa vie quotidienne et l'Esprit qui est en lui ? Il prend le temps de s'enfermer dans sa chambre – le nombre d'heures ou de minutes ne fait rien à l'affaire, ce qui compte c'est l'attention – afin de contempler, au fin fond de son être le plus secret, avec amour, le Dieu qui l'a créé.

Le premier est comme le fils, le bon fils, qui journellement vient dire un petit bonjour à son père et à sa mère. Cela fait, il court à ses affaires et n'y pense plus.

Le second est semblable au fils qui ne se contente pas de ce petit bonjour en passant ; il entre dans la maison paternelle, il s'assied auprès de son Créateur, il l'informe de sa vie quotidienne, sachant que les détails ne lui sont pas indifférents, il lui témoigne sa tendresse de mille et une façons spontanées, il se baigne dans le rayonnement d'amour qui émane de la chère présence, et il en est réconforté. Il se tait aussi, il l'écoute, se sachant bien incapable de faire volontairement quoi que ce soit qui puisse lui déplaire. Il sait aussi que son Père ne veut que son bonheur ; lorsqu'Il exige de lui un effort pénible, c'est qu'Il l'en sait capable, car Il connaît la limite de ses forces ; sa récompense sera de sortir de l'épreuve meilleur, plus solide, donc plus apte au bonheur pour lui-même et les autres. En un mot, au cours de ces haltes, il retrouve sa tendresse, sa simplicité, sa docilité d'enfant. C'est plein de cet amour, chargé à bloc de cette espérance, de cette foi, que ce fils-là retournera à ses affaires. Et son travail est d'autant plus fructueux que cette foi, cet amour, cet espoir, sont chevillés en lui.

Cela, c'est l'oraison, la contemplation. Ce n'est pas compliqué. Il n'y a pas besoin d'être moine ou religieux pour faire oraison. Nous qui sommes dans le monde en avons le plus grand besoin, si nous ne voulons pas vivre tenaillés par soucis et tracas.

L'oraison implique la vie en Dieu, tout faire pour Lui et avec Lui.

Dieu est notre moteur, notre ami le plus intime. Il inspire la moindre de nos idées, sachons l'écouter. Il commande le moindre de nos gestes, sachons lui obéir. Et comprenons qu'Il ne veut que notre bonheur, dans l'harmonie universelle. C'est lorsque nous ne l'écoutons pas, lorsque nous n'obéissons pas aux lois du bonheur qu'Il nous a données que nous sommes malheureux.

Aux incroyants, je répète ce que j'ai déjà dit dans le premier petit livre : qu'ils appellent Dieu comme ils veulent (Marc-Aurèle l'appelait son Guide intérieur), mais qu'ils admettent que si l'homme est un peu plus qu'un singe, c'est parce qu'une étincelle spirituelle palpite en lui. Sur ce point, toutes les religions sont d'accord, toutes proclament les mêmes lois. Des millénaires avant l'ère chrétienne, des hommes sages le savaient déjà.

Pour humble que soit notre vie, ou pour puissants que nous soyons, notre existence ne sera belle et féconde que si nous ne négligeons pas, chaque matin, de nous brancher sur la grande centrale électrique qui meut les mondes, et de faire appel à sa force à tous les instants pour alimenter nos moindres actions. Alors, tout est efficace. Alors, tout est lumière. Pour nous, et pour tous. Alors, nous ne connaissons pas la fatigue, nos énergies sont renouvelées à mesure. « L'Éternel est toujours devant mes yeux, il se tient à ma droite, je ne chancelle pas. »

La nuit, tandis que notre corps repose, « mon cœur m'exhorte », c'est-à-dire que notre subconscient, libéré des contraintes des choses visibles, s'abreuve aux sources mêmes de la sagesse. On dit que l'oreiller porte conseil… Ce conseil, c'est l'Esprit qui est en nous.

Voilà ce qu'il convient de savoir pour vivre pleinement une destinée complète, en parfait équilibre entre Dieu et le monde, sur la terre comme au ciel. Voilà comment nous contribuerons à rendre meilleur cet univers.

16

AVEC DIEU

Je vois trop de gens, trop de croyants, s'éparpiller aux quatre vents de l'existence, aussi faibles, aussi démunis, aussi désemparés que s'ils ne croyaient point, aussi malheureux que s'ils ignoraient qu'ils ont vraiment un Père aux cieux et dans leur âme. Ils meurent de soif auprès de la fontaine pour une raison toute simple : le « priez sans cesse » de l'Évangile leur semble une performance réservée aux athlètes de Dieu, aux religieux, aux saints ; ils n'imaginent pas qu'ils pourraient irriguer constamment leur jardin intérieur de ces eaux bienfaisantes, et voir tout fleurir, tout fructifier, en eux et autour d'eux. La prière du matin faite, ils entrent dans le quotidien comme dans un monde à part. Or, il n'y a pas de monde à part, là où la prière doit circuler, de même qu'il n'est minuscule cellule de notre corps où le sang n'afflue point.

J'ai reçu récemment une confidence qui me fut si utile qu'elle peut aussi vous servir. C'est pourquoi je vous la communique.

Voici à peu près textuellement ce que m'a dit une femme dont le rayonnement m'avait frappée :

« J'ai coutume, tous les matins, de prier dans le jardin, qu'il pleuve, qu'il vente, car c'est le seul endroit où je puisse m'isoler quelques instants. Et j'ai constaté ceci : s'il m'arrive, prière faisant, de me laisser distraire par la vue d'une mauvaise herbe, et de l'arracher, ma prière est languissante. Mais si je prie dans un complet recueillement pendant dix ou quinze minutes – même moins, parfois, lorsque l'horaire me talonne –, il m'est possible, après, de m'occuper du jardin, déboutonner un chrysanthème, de couper quelques fleurs, sans me dissiper intérieurement, tout en continuant à prier. Et j'enchaîne pour la journée avec mes occupations habituelles, à commencer par les travaux ménagers ; je fais les lits, je passe l'aspirateur, comme frère Laurent retournait sa petite omelette, "à la louange de Dieu"…

« En fait, l'élan est donné, le mouvement est remonté. Et de la routine manuelle je peux passer à des occupations qui exigent beaucoup d'attention, lire, traduire (cette dame est traductrice de son métier), être présente auprès de mon mari, de mes enfants, de mes amis, m'attacher à leurs problèmes, m'intéresser aux problèmes de notre temps, sans perdre le sentiment de la présence de Dieu. L'appel à l'aide, en cas de besoin – et ces cas de besoin sont fréquents –, se fait alors tout naturellement. Il n'y a plus deux secteurs, le spirituel et le temporel, il n'y a plus deux mondes, le divin et l'humain, mais l'humain trouve dans le divin quelque chose comme sa respiration constante, et son plus secret conseil. La journée tout entière en est vivifiée, et, de journée en journée, l'existence tout entière. »

Cette femme me dit aussi comment, le soir, elle détachait doucement son attention des choses de ce monde, comme on se déprend du buisson de ronces qui vous a accroché au passage, sans rien déchirer, pour achever sa journée comme elle l'a commencée, avec Dieu.

17

RÉALISATIONS

Si tant de gens prononcent le *Pater* du bout des lèvres, c'est qu'ils n'osent croire qu'il soit décent de demander à Dieu leur pain de chaque jour. Aussi disent-ils ces mots en pensant à autre chose.

Si tant de croyants sont tièdes, distraits, s'ils cherchent à éviter le sermon, sans vouloir pourtant manquer la messe (solution : arriver juste au *Credo*…), c'est qu'au lieu de les prendre où ils sont, très bas, au bas de leurs soucis journaliers, comme qui dirait à la cave, on leur parle comme s'ils étaient au grenier, plus haut que leurs faibles forces spirituelles ne peuvent monter.

Tel est votre cas ? Nous en sommes tous là. La vie nous harcèle les uns comme les autres, et l'une des manières de prier sans cesse, c'est encore de transmettre à qui de droit, à notre Guide intérieur, notre Père, l'Esprit en nous, de quelque nom que vous l'appeliez, ces harcèlements du quotidien. À force de dire, comme les hommes et les femmes de l'Évangile : «Seigneur, mon serviteur est couché à la maison, paralytique… », « Maître ! nous périssons ! », « Ma petite fille est à toute extrémité ; viens lui imposer les mains, afin qu'elle soit sauvée et qu'elle vive ! », « Nous n'avons plus que cinq pains et deux poissons… », à force de constater que la promesse « Demandez et il vous sera donné » est véridique, et qu'il nous est effectivement donné, l'âme la plus liée, la plus inquiète, finit par s'alléger du poids de la matière, elle monte une marche, puis deux, et d'étage en étage, de confiance en abandon, elle atteint enfin le haut du clocher…

En ce grand XVIᵉ siècle où la foi était enracinée dans la vie, une sainte comme sainte Thérèse d'Avila, le jour où elle éclate de joie d'apprendre le retour en Espagne, contre toute espérance, d'un frère chéri qui habitait Cuba, écrit à sa sœur Juana : « Ne vous disais-je pas de laisser faire Notre-Seigneur, qu'il prendrait soin de tout ? Je vous le répète, remettez toutes vos affaires en Ses mains, Sa Majesté agira comme il vous convient le mieux. » (Lettre XVII.)

Sachons-le bien : nous ne sommes pas seuls, l'inquiétude est une tentation. Il n'y a pas à sortir de là. Sur le plan où tout est harmonie, la plus humble des existences s'inscrit harmonieusement.

À une condition : que nous soyons dans le circuit, branchés à la bonne longueur d'ondes, accordés au *la* de la suprême création par notre propre pensée créatrice.

Ça n'est pas facile? Mais qu'est-ce qui est facile? Quel mal on se donne pour apprendre à jouer aux échecs, parler et écrire une langue étrangère, chanter en chœur, faire des pointes ou des entrechats! Apprendre à être heureux, c'est tout de même plus important!

LE JOUG

Pourquoi, mais pourquoi donne-t-on si souvent à l'Évangile un sens douloureux, négatif, et même accablant ? Que les incroyants ne m'en veuillent pas de parler des Évangiles. Ils admettraient fort bien que je parle de Platon ou de Zoroastre. Si les Évangiles sont pour les chrétiens paroles divines, que ceux qui ne croient pas y cherchent l'expression de la plus haute sagesse : ils l'y trouveront.

Mais revenons à l'interprétation négative, pour découvrir le sens positif, dynamique, trop souvent négligé.

Telles les paroles : « Venez à moi, vous tous qui êtes accablés et chargés, chargez-vous de mon joug, recevez mon enseignement, vous trouverez en moi le repos de vos âmes, car mon joug est doux et mon fardeau léger. » Là, tout n'est-il pas espoir et force ? Or, de ces mots rayonnants, on ne retient, la plupart du temps, que l'idée du joug : le croyant résigné se courbe sous le joug du Seigneur. Mais réfléchissons. Pour quelle raison met-on le joug à un couple de bœufs ? Pour les brimer? Pour les punir? Non point, vous le savez comme moi : pour faciliter leur travail. Le joug les aide à mieux tirer leur fardeau, il augmente leurs forces. Ce que le Christ nous demande, ce n'est donc pas de subir, mais d'agir utilement. « Chargez-vous de mon joug », c'est-à-dire travaillez à rendre ce monde meilleur. « Recevez mon enseignement », c'est-à-dire instruisez-vous des lois lumineuses qui régissent les mondes, les lois de l'Esprit. C'est ainsi que nous trouverons le repos de nos âmes. Ce joug est doux, ce fardeau est léger, que nous portons avec l'immense espérance de voir luire un jour la justice et l'amour pour tous les hommes, avec la joie d'y coopérer à tous les instants de notre vie.

Est-il rien de plus dynamique que cette demande? Est-il rien de plus beau que ce labeur auquel nous sommes conviés? En ces temps où le monde est profondément troublé, sachons bien que nous ne trouverons le repos de nos âmes que dans l'accomplissement quotidien du travail qui a pour but le plus grand bien du plus grand nombre des humains. Notre existence propre, si brève, si vaine, n'a son sens, sa dignité, qu'à partir de l'instant où nous prenons conscience de cette tâche radieuse, et où nous l'assumons.

APPLICATION. Vous tous qui êtes « accablés et chargés » par vos propres problèmes, chargez-vous du joug de l'amour pour tous les êtres, ce joug est si doux, ce fardeau si léger...

RAPPEL
DE QUELQUES PRINCIPES

19

PRENDRE DE LA HAUTEUR

Il m'est arrivé, dans une ville inconnue, d'errer dans des rues tortueuses sans retrouver mon chemin. Or, le lendemain, survolant la ville en avion, ce qui m'avait semblé un labyrinthe m'apparaissait clair, et je m'étonnais de m'y être perdue.

Il en est ainsi des situations qui nous semblent embrouillées, troublantes, ou inquiétantes : nous nous perdons dans le détail, mais il suffit de prendre de la hauteur, en esprit, pour que la confusion se résolve en clarté.

Tant que nous gardons les yeux fixés sur nos difficultés, nous ne trouvons pas d'issue. Tant que nous restons le nez sur nos soucis, sur nos manques, sur nos maladies, nous ne trouvons ni joie, ni prospérité, ni santé. Élevons-nous au-dessus de l'apparence aveuglante jusqu'au point où agit la pensée créatrice de tout bien.

Élever, c'est construire. Abaisser, c'est anéantir.

Toutes les grandes et belles choses se passent sur les hauteurs. Voyez, par exemple, dans la Bible le mont

Sinaï, le Sermon sur la Montagne, la Transfiguration, le mont des Oliviers, le Golgotha. Le Très-Haut est synonyme de Dieu, de Jéhovah, d'Éternel. Le Très-Haut est à la fois Dieu, et la demeure de toutes joies :

Tu fais du Très-Haut ta retraite.
Aucun malheur ne t'atteindra…

Il suffit de feuilleter les Psaumes pour comprendre. Toute pensée basse, négative, toute basse action nous accable et nous écroule. Toute pensée haute, positive, toute action constructive nous élève au-dessus des contingences, nous fait vainqueurs et libres, sur les sommets où règne seul l'Esprit, source de tous accomplissements.

20

LE FIL À PLOMB

Quelle est la chose essentielle lorsque nous voulons faire du bon travail ? Il faut avoir de bons outils. Or, lorsqu'il s'agit d'obtenir sur le plan spirituel de belles réalisations qui se répercuteront dans notre existence de tous les jours, nous donnant ce qui nous appartient, la santé, la paix, la joie, c'est sur nous-même que nous devons agir, sur nos moindres réflexes, car nous sommes l'outil de ce travail magnifique.

Vous qui commencez à comprendre les lois de l'Esprit, vous qui dites : « Je sais… », sachez surtout que comprendre n'est pas grand-chose, savoir n'est rien ; c'est la pratique qui importe, la mise en œuvre.

Exemple : j'ai en perspective un labeur accablant, cela suffit dès le réveil pour me jeter dans la confusion. Que faire ? Remettre l'esprit en ordre par quelques minutes de silence, de méditation, par quelques affirmations aussi catégoriques qu'une lettre qu'on jette à la poste, avec la certitude qu'elle arrivera à destination : « L'ordre qui est Esprit est dès maintenant établi dans toutes mes affaires, dans la distribution de mon temps, dans mon corps, ma pensée, mon esprit, le monde…» «Tout est Esprit, l'Esprit est le bien, tout est bien.» On a tôt fait d'oublier ces heureuses dispositions, d'accord. Aussi est-il utile de s'imposer, de se répéter fréquemment – qui donc ne regarde pas l'heure de temps en temps? – quelque chose comme: «l'Esprit marche devant moi et m'ouvre le chemin… Je n'ai rien à craindre, absolument rien, l'Esprit me couvre de sa protection… La sagesse de l'Esprit me guide dans toutes mes actions…»

Il s'agit de ne pas se laisser emporter par le courant des pensées négatives, de tenir le gouvernail en main, et de le redresser le plus souvent possible.

Il nous a été recommandé: «Veillez…» Cette vigilance, nous devons l'exercer sur nos moindres pensées, nos moindres réactions.

C'est ainsi, seulement ainsi, que nous redresserons l'instrument faussé des pensées erronées, des passions usantes, des jugements néfastes portés à tort et à travers sur nous-même et les autres. Nous devons nous reconstruire: pour construire un mur droit, il faut un fil à plomb. Ce fil à plomb, c'est l'esprit qui est en nous.

APPLICATION. Faites une habitude de ces reprises de contact, de ce contrôle de la bonne marche de votre «moi» intérieur. À vous de trouver les moyens de vous rappeler de temps en temps que vous n'êtes pas seul... Je connais quelqu'un qui fait cette brève plongée intérieure – ou, si l'on préfère, cette élévation – chaque fois qu'il entend sonner l'heure, ou les cloches, au clocher voisin. Un autre, qui circule beaucoup en voiture dans Paris, considère chaque arrêt au feu rouge comme le signal d'un bref recueillement... C'est, en somme, utiliser le fameux « réflexe de Pavlov » : on sonne une clochette en montrant de la viande à un chien, le chien salive ; il en vient à saliver rien qu'en entendant la clochette... Quel meilleur réflexe à créer que celui de faire jaillir l'étincelle en nous au contact renouvelé et conscient de l'Esprit qui nous habite ? Les « oraisons jaculatoires », ces exclamations, ces brèves prières de la dévotion classique, n'ont pas d'autre but. Mais dans le monde on en a bien oublié l'usage et la portée... Une de mes amies s'écrie mentalement : « Mon Dieu, à vous !... » Chaque fois qu'elle entend sonner le téléphone. Double résultat : elle transpose en grâce la mauvaise humeur qu'elle éprouvait autrefois quand cet appareil la dérangeait, et elle voue d'avance à l'Esprit en elle, à son Guide en toutes choses, l'événement imprévu qui se manifeste souvent par un appel téléphonique...

UN MEILLEUR CARACTÈRE

– Quel temps! Est-ce là un été? Et nous n'avons pas même eu de printemps! Il n'y a plus de saisons!

S'il fait chaud au mois d'août, c'est du chaud qu'on se plaindra. Je veux bien qu'il soit désagréable de ne pas savoir, comme disent les femmes, comment s'habiller, de ne pouvoir partir en voyage sans emporter robes et manteaux pour les quatre saisons, mais à quoi bon nous plaindre? S'il est au monde lamentations inutiles, c'est bien celles qui concernent le temps qu'il fait: vous n'y pouvez rien, moi non plus. Ce n'est même pas la faute du gouvernement, ni des gouvernements, bien qu'on en accuse souvent les essais atomiques, mais rien n'est encore prouvé.

Si nous options pour prendre le mauvais temps avec bonne humeur, ce serait au moins cela de gagné…

J'ai beau faire: je n'arrive pas à me mettre au diapason des plaignants. De cet été, je me rappelle quelques très beaux jours, au début, un admirable mois d'octobre, un novembre délicieux: le reste se noie dans une grisaille, que j'efface. De notre printemps frileux – soyons juste : glacial… – j'évoque l'effort béni qu'ont fait quelques jacinthes pour éclore dans mon jardin. Mes promenades, sur un plateau que hantent tous les vents, je les ai aimées, pour leur tonifiante vigueur, faute de mieux. Et quand il pleut, à la campagne, j'écoute le bruit des gouttes, et je jouis du bonheur de n'être pas tentée d'aller me promener : c'est si bon un bon livre…

Mieux vaudrait un ciel bleu, du soleil ? Dieu soit loué s'il nous les accorde ! Mais depuis le temps que je m'efforce d'aimer ce que j'ai, lorsque aucune force humaine – surtout pas les gémissements – ne peut me donner ce que j'aime, j'ai appris, entre autres choses, à prendre le temps comme il vient…

Essayez, vous aussi : vous verrez qu'on en tire au moins ce bénéfice de garder, contre vents et marées, le cœur et l'humeur au beau fixe.

22

LE SOLEIL EST IMMOBILE

Je comprends la difficulté qu'éprouvent les débutants à nier les apparences du mal : pour eux, ces apparences sont la réalité. De même, pendant des milliers d'années, l'humanité a cru, d'après les apparences, que le Soleil se déplace dans le ciel, se lève, se couche, autour d'une Terre immobile. Cette erreur-là a aussi toutes les apparences de la réalité. Tant que les astronomes et les mathématiciens n'eurent pas démontré que nous étions induits en erreur par nos sens, il n'y eut aucun moyen d'avoir des notions justes sur l'univers, les astres, et notre propre univers.

Tant que nous persisterons à prendre les effets pour la cause, à croire que le mal existe en soi, alors qu'il n'est le résultat que de notre croyance en lui, il n'est pas pour nous de vrai bonheur en ce monde.

Gravez dans votre pensée cet exemple du Soleil ; regardez-le passer de l'est à l'ouest et prenez ainsi conscience de la façon patente dont nos yeux sont susceptibles de nous tromper. Ramenez votre pensée sur les événements qui vous affligent, et admettez que là aussi nous sommes trompés par les apparences. L'évidence n'est pas toujours la vérité. La paix, l'harmonie, l'abondance, la liberté, *sont*; mais la facilité avec laquelle nous croyons à la guerre, à la discorde, à la pénurie, à l'esclavage, à la maladie, ne peuvent qu'engendrer ces manifestations. Il nous a été dit: «Qu'il vous soit fait selon votre croyance.»

Il ne s'agit pas de nous désintéresser de ce monde souffrant en nous abritant derrière de belles théories. Il s'agit au contraire de nous oublier nous-mêmes pour mieux employer la puissance de notre pensée et de notre amour et transmuer les apparences du mal en bien réel. «Je sais bien que la source jaillit et coule – malgré qu'il fasse nuit», écrit saint Jean de la Croix, dans l'un de ses admirables poèmes. Malgré la nuit du monde, la lumière *est*.

APPLICATION. Redressons nos idées erronées une à une, de même que notre cerveau redresse les images projetées à l'envers sur notre rétine.
Il est réconfortant de constater que ceux qui accomplissent ce travail sont de plus en plus nombreux.
Rappelez-vous que l'accouchement sans douleur a pris l'humanité en flagrant délit de pessimisme injustifié. Il en est ainsi de toutes vos pensées négatives. Elles sont fausses, fausses, fausses. Vivez dans la vérité.

UN CLIMAT FAVORABLE

Que fait-on lorsqu'on veut faire éclore un œuf? On le maintient pendant le temps voulu à la bonne température. Chacun sait que les framboises ne poussent pas en hiver, à moins qu'on ne les cultive en serre. Chacun sait également qu'un poisson d'eau douce ne peut vivre dans l'eau de mer.

De ces constatations, que l'on peut multiplier, nous tirons cette conclusion : rien, en ce monde, ne peut se manifester à moins d'être dans un climat favorable.

Chaque fois que je fais pour la millionième fois une constatation de ce genre, je m'apitoie sur la sottise de notre moi-moi-moi. Nous sommes à même d'étudier le livre de la nature, d'y recueillir les leçons de sagesse les plus fructueuses et nous vivons en aveugles au Pays des merveilles !

Ce climat, cette atmosphère, croyez-vous vraiment les créer en vous? Admettez-vous une fois pour toutes que le bonheur puisse fleurir autrement que dans une atmosphère de confiance, d'espérance, de foi?

Êtes-vous bien persuadé que l'abondance, la santé, la paix ont leur climat? Chacune de vos pensées de doute, de découragement, de peur, chacune de vos rancunes, chacune de vos colères, fait souffler une bise glaciale sur votre jardin intérieur. Et vous savez qu'une bise glaciale fait périr dans leur fleur l'espoir des vergers.

Dites-vous bien que tant que vous n'aurez pas modifié le climat de vos pensées, vous ne parviendrez point à voir éclore vos espérances.

APPLICATION. Acharnez-vous patiemment, sans colère envers vous-même, à climatiser le monde intérieur où vous couvez vos projets d'avenir.

24

NE NOUS ENFERMONS PAS
DANS LE PASSÉ

Nous croyons faire notre éloge lorsque nous disons : « Je suis attaché à mes souvenirs. » Cela consiste, la plupart du temps, à collectionner dans des fonds de placard des objets que nous n'oserions pas sortir en pleine lumière tant ils sont fanés, périmés, dépassés.

Ainsi, sans nous en rendre compte, nous trahissons ce qu'il y a de plus pur et de plus vivace dans nos amours. Nous nous attachons à la matière et cela nous empêche d'évoluer librement dans l'éternel renouveau de l'esprit. Nous nous laissons obnubiler par ce qu'il y a de visible, de transitoire, dans nos tendresses, tandis que leur essence impérissable nous échappe.

Quel est l'être raisonnable qui se refuserait à éliminer ses cellules mortes, à laisser son organisme les remplacer par des cellules vivantes ? Ce serait une condamnation à mort. Et pourtant, sur le plan de nos sentiments, c'est ainsi que nous agissons.

La mère qui garde dans ses tiroirs les vêtements d'enfants de ses grands fils et filles, qui ne peut s'empêcher de regretter qu'ils aient grandi, qu'ils aient conquis leur indépendance, qui soupire en songeant qu'ils semblent s'éloigner d'elle, maintenant qu'ils sont libres, est gravement coupable ; ce culte d'un temps passé la rend injuste envers le présent.

Il ne nous est pas permis de falsifier un seul des instants de la vie. Si nous avons tendance à contempler le passé avec regret, nous devons faire l'effort de jeter au feu ce que nous appelons nos « chers souvenirs ». Cela est dur, mais sain.

Aimons ceux que nous aimons au jour le jour, ne les enfermons jamais dans le cercle étroit de nos habitudes sentimentales. Quant à ceux qui ne sont plus, ceux que nous pleurons, ceux qui ont conquis la liberté suprême, c'est leur rendre un bien faible hommage que d'enfermer leur souvenir dans un objet. Ce n'est pas ainsi, penchés sur de pauvres vestiges, qu'ils aiment à nous voir des hauteurs d'où ils dominent cette terre. Ils nous veulent plus grands, ils nous veulent pleins de cette divine sagesse qui sait se détourner de ce qu'ils ont été pour ne plus voir que ce qu'ils sont, pour l'éternité.

REGRETS ? EXPÉRIENCE…

Il est pourtant excellent de considérer la journée écoulée, de même qu'au bout de l'année il convient de nous tourner un instant vers le passé. Pour regretter le temps enfui ? Ah, non ! Pour remercier de tout ce qui a fait notre joie, comme de ce qui nous a coûté bien des peines, ou quelques larmes.

Je connais des enfants qui ont une habitude délicieuse ; avant de s'endormir, après leur prière du soir, ils cherchent quelle fut la plus grande joie de la journée, et ils disent merci. L'action de grâces n'est-elle pas l'une des formes les plus vivantes de l'amour ? Quel fut mon étonnement lorsque T… (huit ans) murmura un soir : « Merci, mon Dieu, de m'avoir forcé à apprendre à nager ! » Il remerciait ainsi son guide intérieur d'une cuisante humiliation… Voici l'histoire :

Après un mois passé au bord de la mer, où il avait fait trempette, comme il sied, devant des parents doués d'admiration aveugle pour les faits et gestes de leur progéniture, le jeune homme se prenait pour un champion de natation. Plus réaliste, je doutais de ses talents. Invité par le maître nageur d'une piscine de Seine-et-Oise à passer la ceinture de liège des débutants, T… piqua une crise de fureur qui alla jusqu'aux larmes. « Je sais nager ! criait son orgueil ulcéré. Tu sais nager, mon gars ? Eh bien ! vas-y ! »

La preuve fut faite : T… but la tasse. Il barbotait, mais ne nageait point. Il dut se soumettre, et la première leçon lui fit faire de vrais progrès.

C'est de cette vexation, suivie d'une victoire remportée sur lui-même encore plus que sur l'eau, qu'il remerciait le ciel.

Sagesse des enfants ; puissions-nous, au déclin de chaque journée, de chaque année, considérer non seulement sans aigreur, mais avec reconnaissance, les gens, les événements qui nous auront contraints à de fructueuses prises de conscience.

La prise de conscience de T… a marqué le début d'une véritable évolution de son caractère : il s'épanouit dans la vérité.

À quelque chose malheur est bon, lorsque les faits nous donnent une leçon profitable.

APPLICATION. D'un échec dont les conséquences plus ou moins fâcheuses nous ont affligés, ne tirons ni défiance envers nous-mêmes, ni aigreur envers les autres, mais travaillons à combler nos lacunes. D'une sottise dont le souvenir nous humilie, disons-nous simplement : « Voilà une bêtise que je me promets de ne plus commettre, avec l'aide de Dieu ! »

26

LA PREMIÈRE FOIS...

Le même travail, les mêmes obligations, inlassablement répétés, engendrent la fatigue. Car l'uniformité ne crée pas que l'ennui, elle crée aussi la lassitude, qu'il s'agisse de laver tous les jours la même vaisselle ou de longer tous les jours les mêmes maisons pour aller au même bureau faire la même tâche.

Là encore, le secret du renouveau est en nous ; il faut effacer le souvenir de la veille pour repartir, à chaque aurore, à zéro.

J'ai eu l'occasion d'y réfléchir en ce qui me concerne ; pourquoi les tournées de conférences me fatiguent-elles ? Prendre le train, défaire une valise, s'habiller, parler, établir des contacts, refaire la valise, reprendre le train, etc., pendant dix jours, cela me tue. Pour une raison ; je crée moi-même ma fatigue en me remémorant ce que j'ai fait la veille, en laissant hier peser sur aujourd'hui.

Quelle sottise ! La ville dans laquelle j'arrive n'est-elle pas nouvelle, nouveau le public, nouveau même mon texte, qui se modifie suivant l'auditoire ?

Pourquoi, au milieu de tant de nouveautés, ne voir que les gestes automatiques trop souvent répétés ?

Je m'excuse de donner cet exemple à ceux dont l'existence est d'une atroce monotonie, mais n'y a-t-il pas un effort à faire pour nous attacher aux éléments sans cesse renouvelés de la vie la plus plate ? Tout ce qui est vivant est changeant : il suffit de nous y intéresser. La mère de famille ne trouvera pas sa vie monotone si elle se passionne pour l'évolution du caractère de ses enfants, et l'effort de renouveler les menus rendra plus aimable sa corvée culinaire ; le commerçant fera plus joyeusement sa tâche s'il s'efforce de renouveler la présentation de ses articles, l'employé retournera au bureau sans déplaisir si ses collègues sont pour lui des frères que l'amour qui est en lui aime malgré leurs défauts, s'il se penche sur leurs problèmes avec le désir de les aider. Et il les aidera, s'il considère à travers leur enveloppe physique, malgré leurs manies, leurs tics, leurs défauts apparents, l'Esprit qui est en eux.

Soyons vivants, et tout nous apparaîtra neuf. La vie est d'une éternelle et prodigieuse nouveauté.

APPLICATION. Oublions, chaque matin, la routine de la veille pour parcourir le chemin mille fois fait comme si nous le voyions pour la première fois.

LES SCRUPULES

Il est un bon scrupule : celui qui consiste à ne pas se permettre une négligence dans l'accomplissement des travaux et des devoirs qui nous incombent en cette vie.

Il est de mauvais scrupules : ceux qui consistent à nous désespérer des erreurs passées, alors que nous avons fait tout ce qui était en notre pouvoir pour redresser la situation.

Exemple : un homme a restitué une somme mal acquise il y a des années. Il se torture maintenant à l'idée que le franc a baissé et qu'il devrait restituer au taux actuel, alors qu'il n'en a pas les moyens. Trêve d'angoisses. Il a fait ce qu'il a pu, et bien plus que la plupart des gens ne font. Je suis persuadée qu'il aura un jour le moyen de se libérer totalement de sa dette morale, à une condition : qu'il n'en fasse pas une obsession douloureuse, mais qu'il consacre son énergie à construire en lui et autour de lui l'amour, la compréhension, l'espérance, la paix.

En ce domaine comme en tout autre, l'angoisse est néfaste ; penser et agir efficacement, pour le plus grand bien du plus grand nombre, là est l'essentiel.

Ne sous-estimons pas nos efforts, le découragement sape nos énergies ; l'esprit est prompt, la chair est faible ; quoi que nous entreprenions, quoi que nous nous efforcions d'apprendre, quelle que soit la qualité que nous voulons acquérir, nous n'obtiendrons pas en un jour, ni en dix, le résultat auquel nous aspirons. Des lecteurs m'écrivent : « Je me prends en grippe », tant ils s'en veulent de ne pas faire de rapides progrès. Seigneur !

Il est aussi néfaste de nous haïr nous-mêmes que de haïr les autres. La plante mal exposée ne se déteste pas ; elle s'allonge patiemment, jour après jour, vers la lumière.

APPLICATION. Le grand amour universel vous aime, vous qui luttez ; il aime même ceux qui s'entêtent dans l'erreur. Chaque aurore efface la journée précédente, et nous nous éveillons tous les matins à une vie nouvelle ; prenez conscience de cette vérité.

28

LES « TORDUS »

Un borgne ne vous donne pas l'envie d'être borgne ; vous n'avez pas envie de peser cent vingt kilos quand vous rencontrez un obèse.

Mais parce que nous vivons en un monde où, sans être précisément des voleurs, beaucoup d'hommes et de femmes trouvent normal de frauder, filouter, abuser leur prochain, des gens se disent : « X… a gagné de l'argent, pas très honnêtement, certes, mais il n'en est pas moins respecté… Alors pourquoi pas moi ? » Et ils en font autant.

Parce qu'il est admis, au dessert d'un bon dîner, d'animer la conversation en faisant de notre prochain un objet de dérision, ou de blâme, allant jusqu'à ruiner une réputation d'un coup de dent, nous trouvons naturel de suivre le mouvement.

Parce que des gens se disputent, nous nous disputons ; parce que des gens exploitent le faible, nous l'exploitons ; parce que des gens mentent, nous mentons.

Eh bien! tout cela est beaucoup plus grave que d'être borgne ou obèse. Nous nous étonnons des calamités qui pleuvent sur cette planète; qu'un hiver glacial prenne l'ampleur d'une catastrophe, qu'un été sec soit une calamité nationale, on entend: «Qu'avons-nous fait au Bon Dieu?»

Ne confondons pas Dieu avec le Père Fouettard. Mais la nature ne peut «tourner rond» alors que l'être humain va de travers.

Je vous l'ai dit: nous sommes l'outil de notre destinée; notre vie sera ce que la feront notre caractère (que nous pouvons modifier dans le bon sens), nos pensées (que nous pouvons diriger pour notre plus grand bonheur). Et les humains, dans leur ensemble, font le monde; les pensées qu'ils nourrissent, les actes qu'ils accomplissent, conditionnent même le temps qu'il fait, j'en suis persuadée.

Un mot d'argot est riche d'enseignement; on dit de celui dont la conduite est parfois incohérente: «Il est tordu.» On ne fait pas de bon travail avec un outil tordu, on ne construit pas un monde harmonieux avec des «tordus».

«Tordus», nous le sommes tous un peu, par la contagion du mauvais exemple; dans la jungle, nous croyons devoir appliquer la loi de la jungle. Or, ses conséquences sont mortelles.

APPLICATION. Sortez de cet enfer en redressant votre conduite et le cours de vos pensées, vous en verrez les effets immédiats dans le petit monde qui vous concerne : tout y sera déjà plus heureux et plus harmonieux. Puis le cercle s'élargira, vous ferez tache de lumière.

29

JUSTICE

La révolte est une très mauvaise attitude mentale : elle nous corrode littéralement. Or, en cette vie, les sujets de révolte abondent, surtout lorsqu'il nous arrive d'être critiqués à tort, ou l'objet d'une injustice.

Une personne vient de me faire part à ce sujet d'une expérience qui peut être utile à bien des gens.

Sachez d'abord qu'elle était depuis des années la proie de migraines qu'aucun médecin n'avait pu guérir ; de plus, elle n'arrivait pas à se tirer d'ennuis d'argent qui ne lui laissaient guère de possibilités de détente dans la confiance du lendemain. Un jour, elle fut à la fois très injustement spoliée et vexée par une proche parente. Son premier mouvement fut une vive révolte, une grande colère. Mais elle avait appris depuis peu à écouter son Guide intérieur, à s'en remettre à l'esprit en elle ; elle fit un grand effort pour calmer son ébullition et fut toute surprise des pensées qui lui vinrent.

D'abord, un souvenir : enfant, objet d'une injustice à l'école, elle avait demandé à son père d'intervenir et de demander que la punition non méritée soit levée. Son père lui dit : « Es-tu sûre de n'avoir jamais mérité d'être punie, sans l'être ? Va : cette punition-ci paiera pour toutes ces fois-là. » Et elle se dit, trente ans plus tard : « N'ai-je jamais commis d'injustice moi-même ? N'ai-je jamais fait tort – peut-être inconsciemment – à quiconque ? Du fond de mon cœur, j'accepte l'injustice dont je suis aujourd'hui l'objet en paiement de mes vieilles dettes, et je repars à zéro… » Elle retrouva un calme immédiat. Un calme si profond qu'elle ne se rappelait pas avoir jamais connu un calme semblable. Et à partir de ce moment, ses migraines cessèrent, et ses affaires ne tardèrent pas à s'arranger : sa pensée avait créé le bien, annulé le mal passé, donc, le bien se manifesta.

Cela s'explique même par la science très humaine qu'est la psychanalyse. Les psychanalystes attribuent les malheurs de bien des gens à ce qu'ils appellent un complexe d'autopunition : l'homme (ou la femme) se punit lui-même de fautes qu'il se reproche, dans son subconscient, en gâchant les chances qui se présentent ; nous connaissons tous de ces gens-là.

Cette fois encore, la loi de la pensée créatrice de tout bien nous prouve qu'un mal – une injustice – lorsque nous nous refusons aux réactions brutales qui semblent légitimes à l'intelligence humaine, mais qui sont erronées sur le plan de l'esprit, peut être l'origine d'un grand bien, de la guérison, de la prospérité, de l'harmonie. La voilà, la vraie transmutation que recherchaient les alchimistes! Quand bien même on changerait le fer en or, on pourrait encore ignorer tout du vrai bonheur. Mais à partir du moment où on peut transmuer le mal en bien, nous vivons dans une joie exaltante constante, sans nuage.

30

LE PLUS ET LE MOINS

Il n'est femme au monde qui ne connaisse l'importance d'un détail : la plus jolie robe est déshonorée par un faux pli, il suffit d'un peu trop de sel pour que le plat le plus raffiné soit immangeable, d'un four trop chaud, ou pas assez chaud, pour que la pâte la mieux préparée ne lève point. N'y avez-vous jamais songé ? Notre corps est un merveilleux agencement d'organes, de muscles, de glandes, de nerfs. Il suffit pourtant que nous ayons un cil dans l'œil, un grain de sable dans les reins, quelques globules blancs de trop dans le sang, pour que l'étonnante machine s'en ressente tout entière. De même, quelques grammes d'air en plus ou en moins dans un pneu, et la voiture dérape ; il peut s'ensuivre un accident mortel.

Oui, vous savez tout cela. Et vous êtes bien obligés de croire, sur le plan matériel, à l'importance du plus ou du moins...

Mais lorsque quelque chose « ne tourne pas rond » dans votre existence, lorsque votre bonheur est loin d'être parfait, vous êtes-vous demandé si, dans le domaine invisible de vos pensées, de vos sentiments, il n'est pas quelque chose qui soit l'équivalent du cil dans l'œil, du grain de sel en trop, de la cuisson en moins ; si, dans la mécanique de votre monde intérieur, le gonflage de vos quatre roues est bien équilibré ?

On accuse les circonstances, on accuse les temps que nous vivons, on accuse les autres, c'est plus commode…

Je vous le dis : une giclée de rancune, et votre bonheur tourne comme une mayonnaise dans laquelle on a jeté l'huile sans précaution. Un coup de feu de colère, et voilà que s'effondrent vos chers projets. Une pincée de médisance, d'inquiétude, gâche la vie comme une pincée de sel peut gâter la soupe. Des mots comme « je n'ai pas de chance », « je n'en sortirai jamais », le refus de considérer ce qui vous arrive d'heureux, la contemplation obstinée de vos ennuis, et vous voilà dans la situation de la cuisinière qui s'entêterait à faire cuire son omelette dans le réfrigérateur et à faire « prendre » dans le four son sorbet.

Nous devons surveiller nos pensées, nos paroles, avec plus de vigilance encore que le lait sur le feu, car notre existence est à leur image. Une pensée sombre ne peut donner de la lumière ; un sentiment amer ne peut donner de la douceur.

Des produits bien choisis et soigneusement préparés font la bonne cuisine; il en est de même de chacune de vos pensées, paroles et actions.

31

L'ESPÉRANCE

Je l'aimais, ce prunus, avant qu'il ne soit planté. J'en rêvais depuis des années. Sans prunus, le printemps n'était pas tout à fait *mon* printemps, le printemps dans mon jardin.

On le planta enfin en mars. Et le prunus crut bon de ne point donner de feuilles. De temps en temps, je prenais une loupe – oui – et j'examinais de menues écailles qui pouvaient passer pour les bourgeons. Hélas! de feuilles, point.

Le pépiniériste qui me l'avait fourni me disait: « Je crains bien qu'il ne soit mort… »

Le jardinier me disait: « Il est mort… »

Dès qu'un ami amateur de plantes venait à la maison, je lui demandais d'examiner le prunus. Avec des ménagements, pour ne point me faire de peine, l'ami me conseillait de me faire une raison…

Pendant tout ce temps-là, j'arrosais le prunus. Je lui donnais même double ration d'eau, plus une grande ration de tendresse. Je ne le blâmais point, j'avais un serrement de cœur en songeant qu'il était menacé d'arrachage à l'automne, et redoublais de soins.

Et un jour de la mi-juillet, en allant arroser mon prunus, il m'apparut dans un nimbe de minuscules feuilles nouveau-nées! Je n'en croyais pas mes yeux, je n'en croyais pas mon espérance, à l'instant où elle se réalisait. C'était pourtant l'évidence, la réalité, la vérité vraie : gavé de soleil, abreuvé d'eau fraîche, le prunus avait jugé l'éventualité de l'existence supportable, et décidé de vivre.

J'espère qu'il sera heureux. Il le sera sans doute, puisqu'il débute par une excellente action ; il m'a confirmé ce que je savais déjà, mais qu'on ne répétera jamais assez : il ne faut jamais désespérer. C'est parfois au moment où une situation semble à toute extrémité que les efforts accumulés donnent leur fruit, et le bonheur, dont on se prenait à douter, éclôt brusquement devant nos yeux.

Guillaume d'Orange disait : « Il n'est pas nécessaire d'espérer pour entreprendre, ni de réussir pour persévérer. » En ce qui concerne l'espérance, il avait tort : elle nous communique sa force constructive. Il a raison lorsqu'il nous persuade d'être tenaces. Mon prunus m'a rappelé l'adage du sauveur de la Hollande, mais son langage est plus gracieux.

HISTOIRE D'UN POMMIER

Je connais une dame qui a un pommier. Un pommier qui, depuis qu'il existe, donne énormément de pommes. Il en a tant donné l'an dernier que la propriétaire de cet arbre béni en conçut un certain agacement.

Elle n'en finissait pas de ramasser les pommes qui tombaient de l'arbre et pourrissaient dans l'herbe, de les concasser, de les mettre dans un tonneau pour faire du calvados. Elle n'en finissait pas d'éplucher les pommes et de se livrer à des manipulations pour en faire gelées, pâtées, tartes et compotes. Tous ses amis étaient comblés de pommes. Tant et si bien que, excédée, elle se plaignait de la prodigalité extravagante de son pommier.

Le résultat ? Cette année-ci le pommier ne donna que cinq pommes, pas une de moins, mais pas une de plus.

Moralité : ne dites jamais que la mariée est trop belle. Ne vous plaignez jamais d'avoir trop de travail, de l'agitation que créent, autour de vous, vos enfants ; ne vous plaignez point de tout ce qui est de la vie bonne et mouvante.

AIMANTEZ LE PEU
QUE VOUS AVEZ

Étant donné le genre de questions que me posent mes lecteurs, je suis persuadée qu'il en est qui vont demander comment faire pour obtenir que le pommier qui boude cette année redonne des fruits à l'avenir.

Il faudra cueillir ses cinq pommes avec autant de reconnaissance que s'il s'agissait de milliers de pommes, s'en réjouir autant que la surabondance de l'année précédente avait causé d'impatience, louer le pommier plus encore qu'on ne l'avait décrié.

J'ai expliqué dans *Le bonheur est en vous* pourquoi le proverbe «On ne prête qu'aux riches» se révèle souvent vrai. C'est que la richesse crée un état d'esprit qui nous branche sur les ondes de l'abondance, et l'abondance s'ensuit.

Il faut donc considérer le peu que nous avons comme une grande richesse, en remercier le ciel, et les écluses de la prospérité s'ouvriront toutes grandes.

En somme, cet autre proverbe qui vous dit : «Lors-qu'on n'a pas ce qu'on aime, il faut aimer ce qu'on a», vous donne aussi une leçon de sagesse et de bonheur. La plupart des gens sont tellement habitués à l'idée du malheur qu'ils donnent à «aimer ce qu'on a» un accent résigné au malheur, alors qu'en réalité il s'agit d'aimanter, par la force de l'amour, par la force de la louange, ce que nous avons, afin que les grandes et belles choses viennent se grouper tout autour de ce noyau d'attraction.

J'espère que vous avez bien compris.

APPLICATION. Par la louange, les bénédictions, les actions de grâces, donnez à ce que vous possédez la force d'attraction d'un aimant.

P. S. Il est normal qu'un arbre fruitier ne donne pas des fruits tous les ans. Mon histoire est donc une parabole : c'est permis. Mais constatez que presque toujours quelqu'un qui se plaint sérieusement d'avoir trop de travail finit par ne plus en trouver… Dans ce cas, imitez cette petite couturière qui a plus de robes à faire qu'elle ne peut en coudre avec ses deux mains. Lorsqu'il se présente une nouvelle cliente qu'elle ne peut accepter, elle «la remet dans la circulation» avec une grande pensée d'amour et de réussite envers la couturière inconnue qui va travailler pour elle.

34

RE-CONNAÎTRE

Avez-vous jamais songé au sens exact du mot « reconnaissance » ? Il vient de connaître, *re*connaître, connaître à nouveau. Refaire connaissance, contempler de plus près, regarder avec une émotion renouvelée ce qui nous est arrivé de bien, de beau, de bon ; comme nous relisons un livre qui nous a plu, comme nous retournons voir un site qui nous a enchantés, nous sommes reconnaissants.

Les ingrats se privent donc de grandes joies.

Nous nous plaignons de l'ingratitude avec laquelle sont souvent accueillis nos bienfaits, mais nous, sommes-nous reconnaissants ? Si nous sommes doués d'une bonne nature, nous le sommes, à l'égard de nos proches et de nos amis. Mais au-delà ? Plus haut ? Nous retournons-nous, de temps en temps, vers la Source d'où découlent tous nos biens pour dire merci ? Ses largesses, nous donnons-nous la joie de les re-connaître ?

J'ai souvent été frappée par l'attitude des personnes pieuses ; lorsqu'il leur arrive un malheur, elles acceptent, se résignent, et s'inclinent devant Dieu : « Que ta volonté soit faite. » Mais ces mêmes personnes, lorsqu'il leur arrive un bonheur, grand ou petit, ne songent que fort rarement à s'exclamer : « Merci, mon Dieu ! De toi viennent toutes bénédictions ! Louée soit ta volonté ! » Comme si la volonté du Tout-Puissant ne s'occupait que de nous brimer, et jamais de nous réjouir. Or, Dieu n'est pas un bourreau. Le créateur aime sa créature. Il nous comble de biens dont nous détruisons souvent les bons effets par le mauvais usage que nous en faisons.

Connaissons ces biens, re-connaissons-les, exaltons leurs effets par notre reconnaissance. Louons, glorifions, chantons, poussons des cris d'allégresse, à la moindre occasion. Rendre grâces pour une vétille, c'est donner le *la* de la symphonie des plus grands bonheurs.

APPLICATION. Connaissez-vous la prière de frère Laurent de la Résurrection ? C'était un petit frère convers, il vivait au début du XVIIᵉ siècle dans le couvent des Carmes, à Paris. Il était bien pris par ses travaux matériels. Aussi disait-il : « Je retourne mon omelette à la gloire de Dieu ! » Et, fidèle à la loi d'amour et de reconnaissance de la grande sainte Thérèse d'Avila, la mère fondatrice de son ordre, il s'exclamait à longueur de journée : « Mon Dieu, je vous loue, je vous bénis, je vous adore, je vous aime de tout mon cœur. C'est là tout notre métier, vous aimer et vous louer, sans nous soucier de rien d'autre. »

Exclamez-vous comme lui, soyez reconnaissants, ne vous souciez de rien d'autre, et tout vous viendra par surcroît.

LES BIENS DE CE MONDE

35

L'ARGENT DANS L'ÉVANGILE

Sommes-nous en droit de nous soucier de nos intérêts temporels? Quelle doit être notre attitude vis-à-vis de l'argent? Appelons-le par son nom, n'éludons pas hypocritement cette question. Nous ne vivons pas que de pain, mais nous savons bien que nous avons besoin de pain pour vivre.

Ce petit livre ne s'adresse pas à des religieux et religieuses qui ont fait vœu de pauvreté. L'être humain qui en est arrivé à renoncer à tous biens terrestres, à tout confort, à se contenter du strict indispensable, et qui s'écrie: «Dieu soit loué!» lorsque même ce strict indispensable lui manque, est sur la voie de la sainteté.

Mais la pauvreté, lorsqu'elle n'est pas volontaire, peut créer de graves obstacles au développement de votre vie intérieure par le tenaillement constant des soucis qu'elle occasionne, les aigreurs, les colères, et même les haines.

C'est peut-être dans ce domaine que le sain équilibre est le plus difficile à obtenir; l'homme est naturellement enclin aux convoitises de l'argent, sensible aux tentations du luxe et des vanités. Pente glissante. Il convient que chacun puisse subvenir à ses besoins, faire face aux obligations de ses devoirs d'état, avoir une marge de sécurité pour le plus proche lendemain, donner à ses enfants une éducation qui leur permette de devenir d'utiles habitants de cette planète. Mais la limite ? La frontière entre « marge de sécurité » et compte en banque abusif ? Il est une ville, en France, connue par la maxime de sa grande classe bourgeoise : « Tout homme qui dépense plus que le quart de ses revenus est un malhonnête homme… » De même, certains s'imaginent ne pouvoir faire figure dans la société à moins d'un train de vie princier. J'en connais qui se croient ruinés parce qu'ils ont « réduit » leur personnel à cuisinière, femme de chambre, chauffeur…

Sainte Thérèse d'Avila, dans ses lettres à son frère Lorenzo, donne la note juste. Lorenzo de Cepeda rentrait en Espagne après avoir fait aux Indes une grosse fortune. Il avait quatre enfants. C'était un homme honnête et d'une vraie spiritualité. Cette spiritualité ne fit que grandir au contact de son admirable sœur, qu'il visitait souvent au Carmel.

Les sages conseils qu'elle lui donne peuvent servir de règle à toute personne qui a des responsabilités en ce monde.

Elle s'insurge (avec sa gentillesse habituelle), contre un certain goût du faste bien de son temps et de son pays ; don Lorenzo mangeait « dans beaucoup d'argent », et se fût volontiers encombré d'un important personnel domestique. Sa sœur l'engage à ne prendre que le moins de gens possible.

Quant à ses enfants, elle lui demande de les mettre au plus vite à l'école afin qu'ils n'aient point de contact « avec les autres vaniteux d'Avila ». « Je ne voudrais pas que vous achetiez une mule en ce moment, mais un mulet qui servirait pour les voyages et le service. Il n'y a pas de raison pour que ces enfants se promènent autrement qu'à pied ; laissez-les étudier... » (Lettre CI.) Elle ne juge pas nécessaire qu'ils aient un page et insiste pour qu'on ne leur donne pas le titre de « don ». Voilà pour la gloriole.

Quant aux questions d'argent proprement dites, par rapport à la vie intérieure :

Don Lorenzo a acheté une propriété. Il le regrette aussitôt, inquiet d'avoir moins de temps à consacrer à la prière, pris par ses obligations de propriétaire foncier... Que n'a-t-il placé son argent, pour vivre de ses rentes !

Sa sœur réplique vertement : « Vos regrets d'avoir acheté la Sema sont l'œuvre du démon... Comprenez enfin que Dieu a donné à vos enfants plus que des biens : l'honneur... Ne songez-vous pas que vous auriez aussi du travail, pour ramasser vos rentes ?

Passer votre temps en exécutions?... Ne croyez pas que, si vous disposiez de plus de temps, votre oraison en vaudrait mieux. Perdez cette illusion, le temps bien employé, ce qui est le cas lorsqu'on travaille pour le bien de ses enfants, n'empêche pas l'oraison. Dieu donne fort souvent plus en un moment qu'en beaucoup de temps; ses œuvres ne se mesurent pas au temps… Ce que vous dépenserez à la Serna sera bien employé, et quand viendra l'été, vous aurez plaisir à y aller de temps en temps. Jacob n'était pas moins saint du fait qu'il s'occupait de ses troupeaux, ni Abraham ni saint Joachim, mais lorsque nous voulons fuir le travail, tout nous fatigue… » Attrape! Et elle ajoute: « Ce qui vous fatigue tant serait pour tant d'autres un grand repos… »

Donc, une saine et laborieuse administration des intérêts familiaux n'est pas illégitime, loin de là. Mais attention! Quelle était cette affaire d'élevage qu'un ami avait proposée à don Lorenzo? Il y avait de gros bénéfices à envisager, certes, mais sa sœur la lui déconseille: mieux vaut qu'il ait moins d'argent, même pour ses dons aux pauvres et aux couvents, que de se mêler d'affaires de ce genre. (Lettre CLVIII.)

Là est la frontière: travail, parfait. Mais spéculation, gains faciles sans effort personnel, trafic, même dans les bornes de l'honnêteté, non.

Le bon Lorenzo obéit à sa sœur.

Quelque temps plus tard, le voilà repris de scrupules d'une autre sorte : est-il permis à un chrétien comme lui de vivre dans un certain luxe ? Il écrit à mère Thérèse qu'il voudrait abandonner ses tapisseries, son argenterie. Elle lui répond :

« C'est sans importance, *à condition que vous sachiez que cela n'a aucune valeur, et que vous n'y soyez pas attaché.* Mais vous avez des enfants à marier, votre installation doit être ce qu'il convient… » (Lettre CLXVIII.) Ajoutons qu'à cette époque, au XVIᵉ siècle, l'argenterie n'était pas un luxe exorbitant, et que les tapisseries avaient le but utilitaire de garantir du froid.

Donc, travail, administration honnête et raisonnable, bien-être et train de vie conformes à la situation réelle, sans gloriole. Ajoutons l'indispensable générosité. Mais sainte Thérèse n'avait pas besoin d'inviter son frère à donner dans la mesure où il recevait. Il était extrêmement large, et elle lui écrit souvent : « Je vous souhaite beaucoup d'argent tant vous en faites bon usage… »

Ces principes acquis, il nous reste à envisager le moyen d'atteindre à la prospérité matérielle, c'est-à-dire à apprendre à ne pas la refuser.

LE GRAND COURANT
DES ÉCHANGES

Le conseil que donne sainte Thérèse à son frère Lorenzo, c'est, en d'autres termes, ce que dit saint Paul : « Posséder comme ne possédant point », c'est-à-dire sans être attaché, sans être lié, sans faire de nos biens l'objet essentiel de nos préoccupations et de nos désirs.

Tout est à nous, du fait de l'immense fraternité humaine. Mais rien ne nous est dû, car tout est également à nos frères.

Donc, quand nous recevons, recevons avec reconnaissance. Quand nous donnons, quand nous payons, payons sans regrets, sans aigreur. Faisons même plus, joignons de l'amour aux pièces ou aux billets que nous confions à des mains étrangères comme ils nous ont été confiés : en passant. À toute somme payée, ajoutons une somme de bons vœux. Ainsi, payer vos dettes ne vous appauvrira pas, bien au contraire : vous resterez dans le grand courant des échanges prospères. Tandis que vous en sortirez, pour entrer dans celui de la pénurie, si vous ne vous séparez de vos « picaillons » qu'avec amertume, et l'idée que vous vous appauvrissez.

Il est un personnage de l'Évangile qu'on ne cite qu'une fois, et très brièvement : c'est saint Jean qui en parle, celui des apôtres qui en savait le plus long sur l'amour et les effets de l'amour. Ce personnage, c'est « le jeune garçon » du miracle de la multiplication des pains et des poissons.

Jésus était allé dans la montagne où la foule l'avait suivi. Or, vint l'heure où ces gens, cinq mille personnes, eurent faim. Où trouver de l'argent pour les nourrir ? Un des disciples dit : « Il y a bien ici un jeune garçon qui a cinq pains d'orge et cinq poissons. Mais qu'est-ce que cela pour tout ce monde ? »

On peut présumer que le jeune garçon, au moment du repas, avait offert le peu qu'il avait. La sagesse humaine eût voulu que, soucieux de son propre confort, il gardât pour lui sa petite provision. Mais il aimait ; il aimait le Christ, il aimait cette foule au-delà de la raison humaine. Et il mit en circulation son mince avoir. « Et, le Christ ayant béni les pains et les poissons et rendu grâces, tous furent rassasiés. »

Le « jeune garçon » a suscité le miracle en donnant le peu qu'il avait avec cette bénédiction qu'est l'amour désintéressé.

La Puissance divine aurait pu l'accomplir sans lui, mais elle a voulu prouver que ce que nous donnons de grand cœur se multiplie des milliers de fois…

Elle illustre, de plus, la liberté de l'homme – le jeune homme aurait pu ne rien donner – et le grand principe de la coopération de la créature à l'œuvre du Créateur : Dieu veut que l'homme, avec Son aide, soit l'artisan de Son règne sur la terre.

Enfin ce miracle de la multiplication des pains, l'un des plus touchants de l'Évangile, préfigure le plus grand miracle et le plus grand mystère de notre foi : celui de l'Eucharistie. On reste confondu d'amour devant les résonances éternelles du geste d'amour qu'eut un jour un jeune garçon...

Apprenez à donner. Déliez-vous de vos attachements matériels. Déshabituez-vous de dire : « Je tiens à ceci, à cela », car en l'occurrence, c'est vous qui êtes tenu prisonnier, esclave. Qu'il s'agisse d'une affaire dont vous souhaitez la réussite ou d'une somme d'argent que vous jugez indispensable, laissez mentalement aller tout cela dans le courant des grands échanges : « Tout est à Dieu. » Laisser aller, ce n'est pas perdre, c'est semer.

Je dis « mentalement » ; au début, c'est déjà très difficile de nous détacher en pensée de nos possessions... Le sentiment de la propriété est l'un des plus durs à vaincre. Pourtant c'est lui qui, serions-nous millionnaires, nous fait plus pauvres que Job sur son fumier. Pauvres en richesse authentique, celle qui sans cesse se renouvelle et nous laisse le cœur en paix, sûrs du lendemain.

37

« UN PETIT RIEN DU TOUT
TOUT NEUF… »

Lorsque j'étais enfant, ma grand-mère avait un joli mot pour répondre à des exigences excessives : «Tu auras un petit rien du tout tout neuf, bordé de jaune. » Eh bien! ce petit rien du tout était devenu dans mon imagination quelque chose de ravissant! De ce rien, il naissait sans fin des merveilles.

Depuis, il m'est souvent arrivé, lorsque je n'avais rien, de me dire que ce rien était tout neuf, bordé de la couleur du soleil, et d'en faire tout de même quelque chose. Ne dit-on pas, d'ailleurs, d'une femme qui a du goût, de l'adresse, qu'elle sait faire quelque chose de rien? Par contre, combien de gens ont tout pour être heureux et gâchent tout? Le vrai *tout* est en nous.

Pour dénuée d'espoir que nous semble notre existence, pour pauvres que nous soyons en moyens, en possibilités, de ce peu, de ce rien, il nous est toujours permis de faire quelque chose dont la beauté dépasse notre entendement; mais ayons pour but initial de nous construire, nous, et, à l'aide de ce bon outil, de construire notre vie.

Un étonnant mot d'un garçon de neuf ans : son parrain lui avait promis, pour Noël, une montre. L'homme, distrait et surtout égoïste, oublia. L'enfant fut-il morfondu ? On le vit, rembruni, réfléchir deux secondes, et il s'exclama : « C'est tout de même chic ! C'est la première fois de ma vie que je rate un cadeau aussi important ! » Il trouvait déjà beau d'avoir pu espérer... Inutile de dire que ce gamin a fait son chemin dans la vie. L'échec ? Il en ignore même le nom. De même qu'il a voulu ignorer le mot « déception ».

Nous refuser à appeler par leur nom le malheur, la maladie, la pauvreté, c'est immense.

Donner au moindre petit rien du tout le nom de bonheur, c'est déjà être heureux ; cette semence infime de joie devient un arbre et l'arbre une forêt.

D'ailleurs n'avons-nous pas été créés de rien ? Nous sommes une pensée de notre créateur. Créée à son image, notre pensée crée : elle crée de rien.

APPLICATION. Vous ne voyez rien d'heureux dans votre vie ? D'abord, vous avez mal regardé ; en regardant bien on trouve toujours un élément positif. On dit que par vilain temps il suffit de voir au ciel du bleu de quoi faire une culotte de gendarme pour que le beau temps soit proche... Quand bien même vous ne verriez rien de bleu à votre horizon, dites-vous, répétez-vous, que de ce rien vous pouvez faire quelque chose. Et vous le ferez...

38

LE MIRACLE DU CAFÉ

Donc, donner déclenche l'abondance. J'en ai eu la preuve, pour la première fois, pendant la guerre.

En septembre 1940, réfugiée à Lyon avec ma famille, je rencontrai un agent de publicité avec qui j'avais eu de vagues rapports professionnels. Il me dit:

— Je quitte la France. M'achèteriez-vous cinq kilos de café qui me restent?

Le prix était modique; j'acceptai. Et immédiatement, dans un appartement que j'avais eu la chance de trouver place Bellecour, pour tous mes amis, le café coula à flots. Pour mes amis, et les amis des amis; on m'amena même une troupe théâtrale... J'étais ravie. Quelques-uns me firent la remarque:

— Vous prodiguez le café comme en temps de paix. Vous feriez mieux de l'économiser, de le garder pour vous...

À quoi bon? Toute provision a une fin, mais l'amitié n'en a point. Pourrais-je boire mon café en cachette? Nous vivions en des jours où une petite satisfaction prenait de grandes proportions, comment aurais-je hésité à faire plaisir?

Or, pendant toute la guerre, jamais je n'ai manqué de café, sans en acheter au marché noir.

Lorsque les cinq kilos tirèrent sur leur fin, on m'envoya du café de Suisse. Et puis, cela devint un sujet de plaisanterie ; j'ai reçu du café de partout : d'Argentine, du Chili, d'Espagne, alors que les Espagnols en manquaient, du Mexique, du Brésil... C'était comme l'huile de la veuve de Sarepta : elle avait donné ce qui lui restait pour faire un petit pain pour le prophète Élie, et «depuis ce jour, dit la Bible, la farine du pot ne manqua point et l'huile du vase ne diminua pas»...

Après la Libération, alors que nous croyions nos pénuries finies, le café manquait toujours – sauf chez moi. Pourtant, un matin on me dit :

– Il reste du café pour déjeuner, mais c'est la fin...

Comme je sortais, la concierge m'aperçut et m'appela :

– Un colis pour vous.

Elle me remit un sac en jute, à moitié plein. Je tâtai : des grains. Je regardai l'étiquette d'envoi : nom inconnu. Provenance : Castelnaudary. Je me mis à rire :

– Au toucher, on dirait du café, mais comme cela vient du pays du cassoulet, ce sont sans doute des haricots...

C'étaient cinq kilos de café vert ; le chiffre cinq bouclait la boucle. Une lettre m'informa : une ancienne lectrice de *Marie-Claire* avait envoyé de Saigon dix kilos de café à une amie, en lui recommandant de m'en expédier la moitié…

Cette femme, comme tous ceux qui ont contribué à ce miracle du café, m'a démontré la vérité si difficile à concevoir : c'est en donnant qu'on reçoit. C'est surtout de cela que je la remercie.

APPLICATION. Donnez d'un cœur libre.

LES PETITS ENNUIS D'ARGENT

Les petits accrocs d'argent sont, mis à part les gros ennuis, une excellente occasion de nous habituer à ne pas prendre ces questions au tragique, et à nous brancher sur les bonnes ondes.

Un lecteur m'a envoyé ce témoignage :

« Le vendredi soir, la banque fermée, je m'aperçois qu'il ne me reste qu'un peu de monnaie à la maison pour passer le samedi et le dimanche ; j'avais oublié ce long week-end des banques, à partir de Pâques… Mon réflexe immédiat est de m'affoler, mais je me reprends vivement en main ; ai-je bien assimilé les lois du bonheur qui est en moi, oui ou non ? Je minimise donc par la pensée les inconvénients de ce manque d'argent, je déclare à ma femme, à haute et intelligible voix, qu'en mettant les choses au pis, nous n'en mourrons pas ; et après avoir rendu grâces de cette leçon, qui m'épargnera sûrement d'oublier d'aller à la banque dans des circonstances qui pourraient être plus graves, je me recueille pour une brève prière: "Que votre volonté soit faite, Vous dont la volonté est amour et joie…"

«Là-dessus, je décide (ou je crois décider) de passer le reste de mon après-midi à bricoler, vu l'absence de fonds pour aller au cinéma, et je vais dans la penderie prendre une vieille veste pour me livrer à ce travail salissant. En mettant la main dans la poche, je froisse un papier: deux billets de mille oubliés… Il y avait des mois que je n'avais touché à ce veston… Comment ne pas admettre que l'Esprit en moi m'avait conduit où il fallait?»

Et voilà. Cette histoire toute simple est fort instructive. Cet homme a agi de la manière la plus sage, la seule efficace: refus de s'inquiéter, affirmation du bien absolu, recueillement, prière, dans la foi et l'abandon. Sa décision d'employer utilement son temps est également excellente. Tant de bonne volonté ne pouvait que déclencher des faits positifs.

Qu'aurait fait une personne non initiée aux lois de la pensée créatrice? Elle se serait désolée, énervée, aurait envisagé les pires conséquences de ce manque d'argent; elle se serait fait mille reproches, bref, aurait créé dans son for intérieur un tel tintamarre qu'elle n'aurait pu entendre la petite voix sage, mais ténue, de son bon guide intérieur.

Que les circonstances soient graves ou infimes, il n'y a pas deux façons d'agir; qu'il s'agisse d'une décision à prendre, de difficultés à surmonter, d'ennuis d'affaires, d'argent, de cœur, de famille, d'anicroches de santé ou de grave maladie, la loi est une, son application est une, et elle agit dans tous les cas. Je ne me lasserai pas de vous le répéter.

APPLICATION. Menez ceci en pratique à la première occasion.

40

COMMENT LA FORTUNE
VIENT EN DORMANT...

Le 2 février, vous allez faire sauter une crêpe de la main droite, en tenant si possible une pièce d'or dans la main gauche ; si la crêpe saute bien, vous aurez, dit-on, de l'argent toute l'année.

Un peu plus tard, alors que le printemps s'annonce à peine, le premier jour où le soleil sera guilleret et où vous irez vous promener dans les bois, vous veillerez à ce que votre porte-monnaie soit garni afin que le chant du coucou vous annonce, lui aussi, de l'argent pour trois cent soixante-cinq jours.

Le 7 septembre, alors que les champs sont depuis longtemps fauchés, vous irez à la recherche des quelques épis qui restent. Si vous en trouvez sept, bien gros, bien pleins, vous y verrez un présage d'aisance.

Enfin, le premier de l'an, l'échange des vœux, le baiser sous le gui sont plus larges dans leurs pronostics et le mot « bonheur » inclut toute la lyre des satisfactions. C'est ainsi que les mois s'émaillent de superstitions qui, toutes, tendent à donner de fragiles assurances à une humanité tremblante. Il est mélancolique que l'espoir se traduise, somme toute, en billets de mille !

Il en faut, c'est indubitable. Mais confondre argent et bonheur est une erreur tragique. Les hommes et les femmes les plus joyeux que je connaisse sont ceux qui ont fait vœu de pauvreté. Hâtons-nous de dire que ceux-là ont fait également le vœu de chasteté qui leur évite d'avoir une famille à nourrir.

Tel n'est pas votre cas. Je vous souhaite donc, entre autres éléments de bonheur, d'avoir le nécessaire, mais de ne point vous encombrer de désirs superflus, d'être assez établis dans votre « Moi réel » pour qu'un ennui financier ne vous assombrisse pas démesurément. Dans une situation difficile, ce n'est point de se mettre martel en tête qui arrange les affaires : c'est de regarder les faits en face et d'agir calmement, énergiquement, avec une foi totale dans la réussite. Les insomnies du souci n'ont jamais aidé personne.

La fortune, dit-on, vient en dormant. Saluons au passage la sagesse de cette maxime. Elle ne signifie pas que ce sont les paresseux qui s'enrichissent mais ceux qui, lorsque les événements semblent de nature à faire désespérer, gardent sur eux-mêmes assez d'empire pour ne pas perdre le sommeil.

Ceux-là, même s'ils font tomber à terre la crêpe de la Chandeleur, n'ont rien à craindre du destin.

APPLICATION. À tous les instants de la journée, répétez-vous : « Mon bonheur ? Ma fortune ? Ils sont en moi. »

LES « NOIRS INTÉRÊTS »

Ces familles, unies en apparence, où un héritage éclate comme la bombe atomique, tuant l'affection, laissant des séquelles de rancune qui se propagent de génération en génération : je sais, en province, des parents qui ne se saluent point parce que l'arrière-grand-père commun a « avantagé » une fille infirme au détriment des autres : l'avantage était mince et humainement légitime.

Je sais des sœurs qui se sont brouillées pour une douzaine de cuillers, d'autres qui d'une robe ancienne ont fait deux parts : le corsage pour toi, la jupe pour moi. Donner cette robe de noces à un musée dont elle était digne ? Vous n'y pensez pas !

Je sais une femme qui, rentrant après vingt ans d'un pays étranger, dut se cacher de père et de mère pour aller voir une parente qu'elle aimait : mais cette femme, ruinée, avait emprunté une somme qu'elle n'avait pas rendue. On ne la saluait plus, on ne lui parlait plus, elle n'existait plus.

Et ces gens sans enfant, seuls parce qu'ils sont riches et qu'ils s'imaginent, au moindre geste aimable, qu'on en veut à leur héritage…

Il s'agit d'excellents chrétiens.

Cela ne signifie pas que ceux qui ne sont pas chrétiens soient des modèles de désintéressement, mais, chez eux, cela me surprend moins que l'avarice chez des dévots de Jésus, né dans une crèche.

Affaires d'argent, dont sainte Thérèse d'Avila disait : « Quelle amitié régnerait dans le monde n'étaient-ce les intérêts d'amour-propre et d'argent ! »

Oui : tout est clair, quand ce que la sainte appelait « ces noirs intérêts » ne sont pas en jeu ! Lorsqu'ils interviennent, nous croyons juste, légitime, essentiel, de nous comporter pis que ne le feraient des païens.

J'ai été soudain sensible au sens aigu de la parabole du débiteur impitoyable, à son sens concret et précis, en argent comptant. Celui à qui un maître indulgent vient de laisser du temps pour payer 10 000 talents, des millions de notre monnaie, enferme, lui, en prison, l'un de ses compagnons qui lui doit 100 deniers, c'est-à-dire quelques milliers de francs. Certes, Notre-Seigneur se sert de cet exemple pour nous inciter à « pardonner à notre frère du fond du cœur », n'empêche que ce n'est pas exactement pour rien qu'il parle en termes de talents et de deniers, et peut-être transposons-nous trop volontiers sur le plan du sentiment ces espèces sonnantes et trébuchantes.

C'est ainsi qu'en français nous disons dans le *Pater* : « ... Pardonnez-nous nos offenses comme nous pardonnons à ceux qui nous ont offensés... » alors que par exemple en espagnol, on dit, plus fidèlement par rapport au latin : « Pardonnez-nous nos dettes comme nous pardonnons à nos débiteurs » (en latin : *dimitte nobis debita nostra...* etc.).

Peut-être notre générosité de cœur devrait-elle inclure le porte-monnaie...

NE METTEZ PAS VOTRE CŒUR
À LA CAISSE D'ÉPARGNE

Ne pas faire un drame d'une question d'argent, attendre dans le calme, en agissant comme il faut, et en s'en remettant à l'Esprit qui est en nous, le déclenchement heureux d'une solution presque toujours fort différente de nos prévisions, donner généreusement, sans arrière-pensées, payer sans douleur les « douloureuses », les payer même avec joie, voilà qui n'est pas facile. Un trop vieil atavisme nous rive à l'argent, aux biens de ce monde, et c'est pour nous comme une perte de substance de nous en séparer. Une expression courante dit d'ailleurs de quelqu'un qui a eu beaucoup à dépenser : « Il est saigné à blanc. »

On a mal aux veines rien qu'à y penser.

Et pourtant la cupidité, même sous sa forme bénigne, l'intérêt plus ou moins vif pour l'accumulation des billets de mille, est l'une des causes les plus graves du malheur individuel, des dissensions familiales, des conflits sociaux, des guerres mondiales.

L'argent joue, certes, un grand rôle dans notre vie ; ce qui importe, c'est de ne pas lui donner la première place dans notre cœur : car « là où est ton trésor, là est ton cœur ». N'enfermez pas votre cœur dans votre coffre-fort, ne le mettez pas à la Caisse d'épargne.

Voici comment les chasseurs capturent les singes. J'ai raconté l'histoire à des enfants, mais les grandes personnes peuvent en faire leur profit.

Le chasseur attache à un arbre, au bout d'une corde, une boîte remplie de noix, dans laquelle il a fait un trou. Attiré par l'odeur des noix, le singe accourt, plonge la main dans la boîte et saisit l'objet de sa convoitise. Qu'arrive-t-il ? La main pleine de noix ne peut plus ressortir, mais le singe ne renoncera pas à son trésor pour sauver sa liberté. Le chasseur n'a qu'à venir et à saisir la bête. La voilà en cage pour toujours.

L'attachement à ce que nous imaginons être « nos biens » nous prive, nous autres humains, tout comme le singe, de nos libertés et de notre bien essentiel. On ne peut à la fois être obsédé par l'appât du gain et vivre dans l'amour, la paix, la joie. Que de querelles de famille autour d'un héritage ! Que de drames, pour des questions d'intérêt ! Est-ce être libre ? Est-ce être heureux ?

L'argent est nécessaire, mais pour être dépensé. À partir du moment où nous commençons à entasser, nous faisons comme le singe, nous nous livrons nous-mêmes ; et des barreaux invisibles nous enferment : ceux de l'égoïsme, de l'injustice, de l'inquiétude. Nous sommes esclaves au point de nous nuire même sur le plan matériel, tant la peur de « manquer » nous bouche l'horizon. Je connais des gens qui se sont ruinés par avarice. Si on le leur disait, ils en resteraient bouche bée.

APPLICATION. Demandez-vous sérieusement si l'appât du gain ne nuit pas à vos plus chères amours, et s'il en est ainsi, lâchez les noix…

43

LES INGRATS ONT UN PÈRE...

Donnez et vous recevrez? Il n'est pas nécessaire d'être doué d'un sens très vif de la controverse pour m'objecter des cas multiples où nous avons fait preuve du plus grand dévouement, comblé des gens de nos gentillesses, de nos largesses, pour ne recueillir en retour qu'ingratitude.

Voilà pourquoi : ce ne sont pas ceux-là mêmes à qui nous avons fait du bien qui obligatoirement nous paient de retour ; il se peut qu'ils soient, eux, sur un plan très bas de la misère humaine, si stériles en amour, en reconnaissance, qu'ils sont capables de prendre, mais, hélas! jamais de rendre. C'est leur affaire. Cela ne doit pas nous empêcher de leur venir en aide ; peut-être comprendront-ils un jour : nous devons charger nos bienfaits de ce vœu.

Mais ces pauvres – ils peuvent être riches à millions, ce sont tout de même des pauvres – ont un père, le même que le nôtre à tous : la grande puissance créatrice qui maintient les mondes en équilibre. C'est ce Père qui répond pour eux, c'est ce Père qui nous rembourse, c'est ce Père qui nous rend amour pour amour, dévouement pour dévouement, largesses pour largesses. Il est très bon payeur ; soyez sans crainte, vous ne travaillerez jamais pour lui à fonds perdus…

L'ingratitude ne doit donc pas vous affliger, sauf de la peine très tendre que peut nous causer l'aveuglement de nos semblables ; elle ne doit surtout pas vous faire douter de la vérité de l'une des plus belles lois qui régissent le monde. Persistez à donner, et d'admirables surprises vous sont réservées ; le jour où vous vous y attendrez le moins, s'ouvriront, à votre intention, des écluses de joie, de prospérité ; des mains affectueuses, parfois même inconnues, se tendront vers vous lorsque vous aurez besoin de secours, et vous recevrez mille fois ce que vous aurez donné.

Ne croyez pas qu'il y ait là un calcul ; ce n'est pas un calcul que de croire aux promesses des sages, comme à celles de l'Écriture. Il nous est demandé de devenir comme des petits enfants : l'enfant n'est pas un vil calculateur lorsqu'il obéit à sa mère sachant qu'elle ne l'en aimera que mieux et le gâtera même un peu. Ayons, sans arrière-pensée, cet abandon enfantin, cet amour filial, fait de confiance et même d'exigences. L'enfant dit : « Maman, tu as promis… » Pourquoi hésiterions-nous à réclamer à notre Père ce qu'il nous a promis, à nous, ses grands enfants ? Ce serait de l'orgueil, du manque d'affection. Aimons, simplement, et soyons en paix.

APPLICATION. Balayez au fin fond de votre cœur toute rancune envers un ingrat. Il vous a donné, déjà, quelque chose de splendide : l'occasion d'être généreux. Bénissez-le !

LA SOURCE DE TOUS LES BIENS

Nous savons que l'aide humaine nous fait souvent défaut, que les serments des hommes sont parfois fallacieux.

Nous savons aussi que la source de tous les biens est l'Esprit qui est en nous.

Pourtant, au cours d'une affaire, nous plaçons notre espoir en Mme X... ou M. Y..., et s'ils nous font défaut, nous croyons tout perdu.

C'est là une grosse erreur. Voilà ce que nous devons bien nous mettre en tête.

Les possibilités que nous offrent les humains auxquels nous avons recours sont un effet, et non pas une cause, ils ne sont que les instruments de la Cause suprême, à laquelle les outils ne manquent pas... (Rappelez-vous : « Les anges se déguisent. »)

La seule cause, l'unique origine de notre prospérité et de notre joie est la puissance créatrice universelle, l'Esprit en nous. Les eaux coulent, la source demeure. Notre réussite totale n'est possible qu'à partir du moment où nous sommes conscients de cette vérité.

C'est ce qu'affirmait sainte Thérèse d'Avila lorsqu'elle disait : « Dieu seul suffit. » Et elle prouvait sa foi par ses actes ; lorsque, au cours d'une fondation, tous les secours humains sur lesquels elle comptait s'éclipsaient, elle se réjouissait : « Dieu va pouvoir agir. » Dieu, « Celui dont la puissance en nous peut faire beaucoup plus, infiniment plus que ce que nous pouvons Lui demander, ou même concevoir… », dit saint Paul.

Tant que nous persistons à espérer en quelques individus, en quelques circonstances qui nous semblent logiques, nous ne sommes pas branchés sur la grande centrale électrique : nous nous contentons de groupes électrogènes qui peuvent flancher n'importe quand, et ne fournissent qu'une faible énergie. À moins que nous ne soyons branchés sur rien du tout et vivions dans le noir. Le cas, hélas ! est fréquent.

Lorsque vous voulez du pain, comptez-vous uniquement sur le boulanger du coin, et vous en passerez-vous s'il est fermé ? Non, vous savez que les grands greniers du monde fournissent d'autres boulangers dans votre quartier.

Il se peut que l'Esprit en vous se serve de Mme X… ou de M. Y… pour vous donner ce que vous demandez justement, mais ce qui importe, ce n'est ni Mme X… ni M. Y…, mais l'Esprit en vous.

Voyez-vous la différence ? Sachez reconnaître que votre bien ne vient que de Lui.

APPLICATION. Branchez-vous sur la grande Centrale. Si une représentation mentale peut vous aider, imaginez-vous tournant une manette pour établir le contact.

QU'AVEZ-VOUS
DERRIÈRE LA TÊTE ?

Certains lecteurs m'ont écrit avec un soupçon de rancune ; ils se sont efforcés d'appliquer les principes exposés dans *Le bonheur est en vous,* mais après de premiers succès, les résultats n'ont pas été croissants.

Sont-ils certains d'avoir toujours été fidèles aux lois souveraines ? Il suffit parfois d'un rien…

Cette histoire illustre la situation :

Une personne, en cours de pourparlers pour une affaire d'importance primordiale, ne peut retrouver un papier dont elle a le plus urgent besoin : il l'aidera à se justifier auprès de gens qui l'accusent à tort.

Elle redouble d'activité dans ses recherches, s'énerve, s'afflige, bien que sachant que le seul moyen d'en arriver à ses fins serait de rester calme et confiante. Nous *savons*, évidemment, mais de là à *appliquer*…

De guerre lasse, elle parvient tout de même à dompter son inquiétude et à se rappeler l'essentiel : tout ce qui nous arrive, même ce qui semble extérieur, a sa source en nous-mêmes. Et elle se recueille, dans la prière, dans le silence.

C'est ainsi qu'elle parvient à se détacher de son moi-moi-moi et à considérer objectivement les faits. Elle se demande : « D'où peut bien provenir ce contretemps dont les apparences sont si fâcheuses, alors que tout est bien là où l'Esprit règne seul ? »

Eh ! eh ! Elle découvre alors que le désir de « river leur clou » à ses détracteurs, un vif sentiment de rancune sont pour beaucoup dans son désir de retrouver le papier. Elle ne se contente pas de la seule justice : elle souhaite y ajouter le sel de la vengeance. Voilà l'obstacle : il est en elle.

Sincèrement et profondément, elle s'établit alors dans la bienveillance et le pardon, et s'en remet avec un abandon total à son guide intérieur pour la suite des événements. Elle prend vis-à-vis d'elle-même l'engagement de ne se servir du papier que pour établir l'équité, sans chercher à vexer qui que ce soit et, après avoir envoyé au monde entier de ferventes pensées d'amour et de paix, elle s'interdit d'y penser davantage.

Or, le lendemain, dans un placard, une boîte attira son attention ; une boîte qu'elle voyait tous les jours, mais qu'elle n'avait pas songé à ouvrir. Elle souleva le couvercle, le papier était là. Il lui avait suffi de mettre amour à la place de violence, pour que le document sauveur lui soit mis entre les mains…

APPLICATION. Attention à nos idées de derrière la tête ! Lorsque, dans nos affaires, dans notre vie, quelque chose ne « tourne pas rond », cherchons en quoi nous sommes en train d'attenter à la loi suprême qui est amour, espérance, foi.

46

L'ENVIE BOUCHE L'HORIZON

L'envie, même lorsqu'elle n'est pas accompagnée de très méchants sentiments, crée des obstacles entre les biens de ce monde et nous. C'est ce que s'avisa de penser Mme N. D... un jour où elle poussait un soupir en voyant une luxueuse automobile doubler l'autocar dans lequel, tous les jours, cahin-caha, elle allait à son travail. Elle habitait assez loin de Paris, et les attentes sous la pluie, une heure de trajet, plus une demi-heure de métro, finissaient par lui causer une grande fatigue.

Elle se dit soudain : «Je ne puis maîtriser un mouvement de jalousie lorsque je vois des gens rouler en voiture, j'envie mes amis qui possèdent une auto. Ce sentiment n'est pas joli-joli... À partir d'aujourd'hui, j'enverrai du fond du cœur une grande bénédiction à tous les automobilistes qui attireront mon attention.»

Désormais, les voitures qu'elle croisait filèrent, chargées de ses bons vœux; elle en éprouva un vif contentement.

Deux mois, trois mois s'écoulèrent. Un jour, à son bureau, coup de téléphone : un notaire l'appelait de Nice. Elle possédait dans un coin perdu des Alpes-Maritimes une petite propriété qu'elle souhaitait vendre depuis longtemps, mais nul acquéreur ne se présentait. Elle ne s'en souciait d'ailleurs pas autrement, la croyant sans valeur.

Ce notaire lui proposait un acheteur ; c'était pressé, c'est pourquoi il lui téléphonait au lieu d'écrire.

Elle se mit à rire :

— M'offre-t-on de quoi acheter une 2 CV ?

— Une 2 CV ? Mais oui ! Et même un avion de tourisme si le cœur vous en dit !

Mme N. D... eut donc sa 2 CV et de quoi l'abreuver d'essence régulièrement. Tel fut l'effet de son changement d'attitude mentale. Rien n'est plus normal.

APPLICATION. Êtes-vous mécontent de votre situation ? Au lieu d'envier ceux qui gagnent assez d'argent pour ne pas s'inquiéter des fins de mois, accompagnez-les de vos bons vœux.

Cherchez-vous un appartement, désespérément, avec une sombre jalousie à l'égard des gens qui sont logés ? Bénissez-les, c'est meilleur pour la santé, et plus efficace.

Malade, nourrissez-vous à l'égard des bien portants des sentiments de rancune ? (J'ai entendu une malade dire d'une femme de bonne mine :

« Elle m'agace, avec sa santé ! ») Réjouissez-vous, au contraire, et louez le ciel en leur nom.

Vous verrez...

Ah ! Si nous prenions au sérieux l'enseignement qui nous est donné ! Le mur qui nous sépare du bonheur peut avoir sept épaisseurs, celle des sept péchés capitaux.

47

DITES « OUI » !

Au bureau des «objets trouvés» on vous dira que rares sont les gens qui viennent y chercher ce qu'ils ont égaré. D'ailleurs ne dit-on pas plus couramment «le bureau des objets perdus»? Le mot négatif l'emporte sur le mot positif, l'état d'esprit d'échec sur celui de succès.

De même, à la Loterie nationale, des gagnants ne touchent pas leur lot… Ils ont acheté leur billet avec si peu d'espoir de gagner qu'ils négligent de consulter la liste des prix…

Ah! qu'il est donc difficile à l'être humain d'admettre l'espérance! Combien se plaignent de ne pas être heureux, qui refusent le bonheur ou ne se donnent pas la peine d'étendre la main pour le prendre quand il passe à leur portée!

Il était une émission, à la Radiodiffusion-Télévision française, qui me faisait souvent plaisir: c'était *La Voix de l'espérance*, de Maurice Tieche. Il donnait d'excellents conseils de bonheur, particulièrement dédiés aux parents qui voulaient faire de leurs enfants des enfants heureux à présent et toujours.

Maurice Tieche racontait que dans un groupe d'enfants il avait offert vingt francs à chacun d'eux ; il n'y en eut qu'un pour accepter. Tous les autres, n'en croyant pas leurs yeux, déjà imbus d'idées négatives, avaient refusé l'argent.

Il n'est pas que les enfants pour agir de la sorte ; c'est ainsi que quatre-vingt-dix-neuf adultes sur cent refusent le succès, le bonheur, la prospérité, la joie.

Des millions d'hommes et de femmes passent leur vie à répéter : « Ce serait trop beau… Je ne me fais pas d'illusions… », etc. Cela suffit pour que les petites pièces de vingt francs dont l'addition consti-tue l'aisance, les petites joies dont la somme fait le bonheur, prennent résolument un autre chemin que celui de leur maison.

Nous devons persévérer contre vents et marées à espérer le bonheur, à croire à notre réussite. Son-gez en passant que sur les trois vertus théologales, deux sont aveugles, officiellement : l'amour et la foi. Quant à l'espérance, qu'on peut assimiler à la fortune, à la chance, les Anciens la représentaient les yeux bandés. Cela signifie-t-il que ces trois vertus agissent « à l'aveuglette » ? Elles ferment seulement les yeux aux apparences, pour mieux voir la vérité vraie, la splendide réalité de l'Esprit.

APPLICATION. Refusez donc de considérer les apparences fâcheuses ; certain que la grande loi d'amour ne peut mentir, sûr que l'amour, l'espérance et la foi sont divins, marchez droit sans dévier, et montez sans trembler.

Lorsque le « non » du doute vous traverse l'esprit, affirmez vigoureusement : « C'est oui ! »

PETITS ET GRANDS SACRIFICES

La vie exige souvent de nous de petits et grands sacrifices. Il s'agit donc de bien savoir ce que nous voulons, de ne reculer ni devant une bagatelle, ni devant une grosse difficulté.

Voici une belle histoire pour ceux qui cherchent du travail ; elle me fut contée par une amie décoratrice.

Mme B... cherchait une jeune élève de l'École des beaux-arts pour la seconder ; il se présenta une candidate.

– Je vous prendrai à l'essai pour un mois, dit mon amie. Vous pouvez venir dès demain matin.

Confusion de la jeune personne ; elle organisait à Bruxelles une exposition avec d'autres artistes, et devait partir le lendemain pour s'en occuper. Mme B... ne pouvait-elle l'attendre huit jours ? La décoratrice avait besoin d'une aide immédiate, elle congédia donc la jeune fille.

Deux heures plus tard, coup de téléphone ; la candidate s'était arrangée avec ses camarades, pour prendre son poste le lendemain.

– N'oubliez pas, dit mon amie, que ce n'est qu'un essai. Votre sacrifice est peut-être inutile.

– Je tente ma chance.

Cette voix décidée, vibrante, optimiste, inspira immédiatement confiance à Mme B… La jeune employée arriva donc chez elle sous les meilleurs auspices. Elle avait donné une jolie preuve de courage ; neuf personnes sur dix n'auraient certainement pas renoncé à un petit avantage certain pour une situation aléatoire. Au bout d'un mois son concours se montra efficace et la décoratrice la garda. Mais les affaires n'étaient pas brillantes : un an plus tard elle dit à son assistante qu'elle était obligée de se séparer d'elle pour ne garder qu'une secrétaire.

– Qu'à cela ne tienne ! Je serai cette secrétaire !

L'énergique jeune personne prit sur son sommeil pour se perfectionner en sténodactylo, dont elle avait déjà des notions.

Lorsque Mme B… me conta ces faits, elle me dit :

– Je n'ai pas d'enfants, j'ai fait de cette jeune fille mon associée. C'est elle qui me succédera. Non seulement elle est courageuse, intelligente, mais il émane d'elle un tel rayonnement, une telle bonne grâce, que mes affaires prospèrent dans ses mains.

N'oubliez pas cet exemple, lorsque la vie vous donnera un coup de patte…

Que fût-il advenu si cette jeune fille s'était tenue pour battue dès le début, si elle avait hésité à payer le prix de sa réussite ? Il ne suffit pas d'ouvrir la bouche, pour que les alouettes y tombent rôties : encore faut-il agir, et même, souvent, consentir à quelques sacrifices…

« REPRENDRE LE COLLIER »

Après les vacances, on parle de « reprendre le collier ». C'est nous identifier à une bête de somme, former une image mentale qui ne peut créer que dégoût, tristesse, épuisement.

Il convient de réviser et de détruire nos idées fausses et néfastes en ce qui concerne le travail comme en toute chose.

Ceux mêmes qui ignorent tout des Écritures répètent que l'homme chassé du Paradis fut condamné à « gagner son pain à la sueur de son front », et tiennent le travail pour une malédiction. N'ont-ils jamais songé que, effet de la rupture de l'homme avec l'Esprit, du choix délibéré qu'il fit un jour de la matière, le travail, cet éducateur, est, au contraire, l'élément de notre rédemption ? On ne peut juger de la valeur des choses que par leurs effets. Avez-vous jamais vu le travail dégrader un individu ? Avez-vous jamais vu le refus de travailler en ennoblir un seul ? La question est jugée.

Il ne s'agit pas de nous plier avec répugnance aux obligations qu'impose le gain de notre pain quotidien, mais de prendre conscience de la grandeur de la mission de l'homme ; lorsqu'il plante une graine de son mieux, lorsqu'il apprend de son mieux son métier, lorsque la femme balaie de son mieux sa maison, ils contribuent à édifier un monde meilleur.

Ne penser qu'à soi peut sembler une économie de forces ; en réalité, c'est nous priver de l'apport des forces intérieures. N'est-ce pas élargir immensément notre potentiel que de songer que nous ne travaillons pas pour nous seuls, mais que nous collaborons à un gigantesque plan d'ensemble, pour un monde meilleur, une humanité plus heureuse ?

Songez à un autre sens du mot travail, ne dit-on pas de la femme qui va mettre au monde qu'elle est « en travail » ? Il en est ainsi de tout labeur, de celui de l'écolier à celui du médecin, en passant par celui du manœuvre et celui de la femme qui trime dans son ménage toute la journée.

Votre travail, lui aussi, ce travail qui prend l'essentiel de votre vie, peut être source de beauté, de lumière et de joie.

APPLICATION. Ne travaillez pas qu'avec vos mains ; mettez de la ferveur dans ce que vous faites, votre labeur cessera de vous peser, vous l'accomplirez mieux, vous en tirerez donc plus de fruits.

50

LE DERNIER PAS

On dit qu'il n'y a que le premier pas qui coûte ; l'expérience prouve que le dernier pas coûte beaucoup plus. C'est pourquoi tant de gens ne persévèrent pas, qu'il s'agisse de leurs affaires, ou de l'acquisition des habitudes du bonheur.

Il faut bien convenir que tout effort prolongé finit par causer de la fatigue ; c'est pourquoi nous devons agir en toutes choses sans énervement, en souplesse, sans trop crisper notre volonté. Il s'agit d'avancer comme la tortue, lentement, mais sûrement, et non pas de s'élancer au début, comme le lièvre qui n'atteint pas le but.

Examinez votre vie, et voyez si vos échecs ne sont pas dus au fait que vous avez lâché trop tôt. Surtout si vous êtes imaginatif. En effet, le premier pas est difficile, parce que nous passons du projet à l'action. Mais une fois lancés, notre imagination s'enflamme ; elle se refroidit peu à peu au contact des difficultés. Les grandes difficultés sont parfois moins épuisantes que les petites, car pour y faire face, nous rassemblons toutes nos énergies, l'amour-propre nous soutient, l'instinct combatif nous pousse.

Pour le dernier pas, nous sommes en face de la réalité nue, nous savons exactement ce que nous allons obtenir : c'est presque toujours moins exaltant que nos rêves. Nous savons surtout que nous entrons dans la voie de l'exécution précise, méticuleuse, persévérante.

C'est pourquoi tant de gens qui font avec de grands efforts, au prix de grands sacrifices, les neuf premiers pas qui vont les conduire au succès, n'ont pas le courage de faire le dixième.

Pour arriver à quelque chose, qu'il s'agisse de vos affaires, de la transformation de votre caractère, de l'épanouissement dans la joie de vos rapports avec vos semblables, il faut que vous ayez le courage de surmonter les obstacles qui ne sont qu'en vous pour atteindre enfin le but tant espéré.

APPLICATION. Si après de longs efforts, une lutte tenace, vous vous sentez prêt à flancher, obstinez-vous au contraire de tout votre cœur, et affirmez irréductiblement que votre bonheur ne dépend que de vous.

LES SOUCIS D'ARGENT...
ET LES AUTRES

Il était une fois une dame qui était bien tranquille ; son compte en banque, modeste mais suffisant à ses yeux, lui assurait une sorte de tranquillité. Il s'agissait de cent mille francs qu'elle ne comptait pas pour le courant de la vie quotidienne, mais ils étaient là, prêts à parer à l'imprévu.

Mme B... vécut ainsi deux ou trois années fort paisiblement. Jusqu'au jour où elle daigna examiner le relevé de compte de sa banque : choc ! Comment avait-elle fait ses additions et soustractions ? Elle avait un « trou » de cent mille francs ! C'est-à-dire que sa marge de sécurité n'avait existé que dans son imagination.

Son premier mouvement fut un vif déplaisir ; le second, une vive satisfaction : « Quoi ! songea-t-elle, je me plaindrais ? Je viens de payer cent mille francs une leçon inappréciable. Si je n'avais pas cru avoir cette somme pour faire face à toute éventualité, j'aurais été soucieuse bien des fois. Ce qui m'a maintenue en paix, ce n'est pas la possession de cette somme, mais l'idée que je la possédais. J'ai donc la preuve que l'inquiétude est une folie, une duperie insigne. On ne me reprendra plus à me faire du souci. À partir d'aujourd'hui, je déclare, certifie, que j'ai à jamais cent mille francs ; que dis-je ? Un million, dix millions… auxquels je ne toucherai point, mais qui sont là, prêts à servir en cas de besoin… Il suffit de la tranquillité que donne cette assurance pour que le "cas de besoin" ne se présente jamais. »

L'idée que nous nous faisons de nos moyens, de nos qualités, des gens, des événements, a une force créatrice dont la plupart des humains ignorent la puissance.

Voyez l'histoire de R… Libraire, il venait de faire faillite. Peu habitué à lutter dans la vie, il trouva plus commode de mourir, et décida de se tuer. Il y a des gens comme ça. Mais il lui coûtait tout de même de quitter cette vallée de larmes ; il lui restait une petite somme, dont il décida de consacrer la moitié à faire faire son horoscope ; il verrait bien s'il avait une chance de s'en sortir.

L'astrologue prépara son thème, et lorsqu'il revint, lui tint ces propos :

– Vous êtes à la veille d'une réussite inespérée. Vous allez trouver une situation splendide. Vous rencontrerez un de vos amis, il vous dira qu'il abandonne le poste qu'il occupe actuellement. C'est vous qui le remplacerez.

Notre homme, rêveur, alla prendre un café crème aux Deux Magots et tomba sur P. B…, secrétaire de rédaction d'un important hebdomadaire.

– Je quitte le journal, lui dit-il. J'en ai assez.

R… sursauta :

– Qui te remplace ?

– Personne encore, je viens de donner ma démission.

– Je vais poser ma candidature, soutiens-moi.

L'ami ne fut pas encourageant ; être secrétaire de rédaction, c'est un métier qu'on n'improvise pas… Mais R… insista avec de si bons arguments que P. B… le présenta au rédacteur en chef. Sûr d'avance de réussir, notre homme fut agréé. Mieux encore, il se révéla brillant dans son nouveau métier.

Lorsqu'un an plus tard l'horoscope lui tomba sous la main, il découvrit que dans son trouble il s'était trompé de date de naissance ; les calculs astrologiques étaient donc faux, mais l'assurance que la prédiction lui avait insufflée était, elle, authentique.

De même qu'était authentique la quiétude où avait vécu Mme B… lorsqu'elle croyait avoir en banque cent mille francs de réserve.

Tout est dans la pensée. Notre pensée nous fait, nous défait, nous construit, nous détruit.

« Quiconque attend la peine, il la souffre », écrivait Montaigne (*Essais*, livre II, « De la conscience »). Et il ajoutait : « … et quiconque l'a méritée, l'attend.

La méchanceté fabrique des tourments contre soi, comme la mouche-guêpe pique et offense autrui, mais plus soi-même ; car elle y perd son aiguillon et sa force pour jamais… »

C'est bien ce que je vous disais…

APPLICATION. Cessez de vous détruire. Construisez-vous.

LA SANTÉ

PENSÉE ET MÉDECINE

Je le dis tout de suite : notre pensée, maintenue à un taux de hautes vibrations, nous maintient en bonne santé ; si une chute de pression, une crise de tristesse, de crainte, de fatigue, nous a rendus accessibles à la maladie, il suffit de nous délier de la peur pour reprendre de la hauteur et guérir.

Mais loin de moi l'idée de suggérer à mes lecteurs de refuser toute médication. Je l'ai dit dans *Le bonheur est en vous*, et je le répète ici : Ambroise Paré parlait en sage lorsqu'il disait : « Je le pansai, Dieu le guérit. » Dans sa fragilité, notre foi a besoin d'un appui ; qui de mieux qu'un médecin en qui nous avons confiance ? Tout en suivant ses prescriptions, prions intérieurement pour que son Guide intérieur lui suggère les bons remèdes, prions pour tous ceux que la santé par excellence utilise pour nous remettre en sain équilibre.

LE RETABLE DE GRÜNEWALD

Ce retable, admirable malgré des repeints audacieux, nous prouve qu'au début du XVIᵉ siècle l'humanité savait à quoi s'en tenir sur les effets du bonheur qui est en nous. Particulièrement en ce qui concerne la santé.

Les différents volets du retable représentent l'*Annonciation, le Chœur des Anges* célébrant la prochaine naissance du Sauveur, la *Vierge et l'Enfant,* la *Crucifixion,* la *Résurrection,* la *Tentation de saint Antoine.*

On m'a conté son histoire.

Il était exposé dans un hôpital consacré à saint Antoine où on soignait particulièrement le « mal des ardents », ou feu de Saint-Antoine, sorte d'érysipèle gangreneux qui a sévi cruellement au temps jadis. Avant tout traitement médical, les malades étaient amenés devant le retable ; ils passaient là trois jours, soumis en somme à un traitement psychothérapique. Dans l'intimité de la vie du Christ, ils se persuadaient profondément de la toute-puissance du Sauveur, tant sur le plan de la Chair que sur celui de l'Esprit. Face à la vision tragique de la *Crucifixion*, la *Résurrection* telle que l'a peinte Grünewald est d'une force transcendante ; il faut l'avoir contemplée en silence pour comprendre la vie que cette image pouvait insuffler aux malades. Les monstres qui tentent saint Antoine leur rappelaient que l'amour et la foi triomphent de nos misères.

C'est ainsi préparés, persuadés que l'Esprit en eux était capable de les guérir, qu'ils recevaient enfin des soins matériels.

Notre temps découvrirait-il à nouveau cette science oubliée ? Pour curieux que cela paraisse, nous sommes en retard sur nos aïeux ; l'idée de Dieu les élevait, comme en avion, jusqu'aux sommets où tout mal est aboli. Aujourd'hui, la femme qui accouche sans douleur y monte à pied, par des moyens purement mentaux, mais elle y monte tout de même : c'est un progrès…

C'est un progrès que de lire sous la plume du docteur Lamaze : « La peur engendre fatalement une réaction de l'organisme qui se traduit par une contracture musculaire, génératrice elle-même de douleur… »

La peur est pour les trois quarts dans nos maladies, elle est pour quatre-vingt-dix-neuf pour cent dans nos souffrances physiques. N'avez-vous pas remarqué que lorsque vous ne vous contractez pas de peur, par exemple chez le dentiste, vous souffrez beaucoup moins ?

APPLICATION. Rappelez-vous l'expression courante : « Il y a plus de peur que de mal. » Si vous souffrez, chassez la peur, détendez-vous dans la confiance du soulagement certain, de la guérison certaine. Vous serez soulagé et guéri.

54

GUÉRIR

Tous les jours, nous avons la preuve de l'action de notre état moral sur notre état physique ; une vive contrariété coupe l'appétit, une inquiétude crispe le plexus solaire au creux de l'estomac, le choc d'une vive surprise « coupe le souffle », « coupe les bras et les jambes », une émotion encore plus intense peut provoquer l'évanouissement ; l'anxiété dessèche la bouche, accélère les battements du cœur, des soucis prolongés agissent sur le foie, sur l'intestin, etc., etc. Il semble que nos pensées, en s'agitant, bousculent nos cellules comme la chute d'une pierre agite l'eau d'une mare. Et nous persisterions à nier l'action du moral sur le physique ! « Nous sommes tous ignorants et bêtes », disait ma vieille amie Miss Gassette, ignorants des lois de la vie, bêtement encroûtés dans notre routine.

La presse aime à publier d'affreux faits divers, contribuant ainsi à semer des germes de peur dans le subconscient des foules, mais il arrive à nos journaux de chanter les louanges de gens qui se sont tirés de graves maladies grâce à leur optimisme et à leur énergie. Je retrouve dans mes papiers le cas d'un athlète, illustré de la photo d'un garçon au joyeux visage, sous le titre : « Il a eu foi en sa guérison. » Derek Pugh, champion d'Europe du 400 mètres, citoyen britannique, soigné à Paris à l'hôpital Claude-Bernard pour la poliomyélite, a pu rentrer à Londres, sa maladie étant enrayée. Voici ce que déclarent ses médecins :

« Derek a triomphé de la poliomyélite ; contre l'évidence même, il a refusé l'angoisse, il a contemplé en lui la santé agissante, vibrante, capable de vaincre tous les accidents momentanés du corps à condition que son action ne soit pas entravée par la peur et le défaitisme. »

J'ai évoqué ce cas avec une infirmière. Elle me dit : « Les malades qui croient en leur guérison guérissent dans quatre-vingt-dix pour cent des cas. Notre rôle d'infirmières est essentiellement de communiquer cette foi à ceux qui auraient tendance à céder à la panique. »

APPLICATION. Croyez en la guérison. N'admettez à votre chevet que des médecins et des infirmières dont la présence vous réconforte. Attention aux visiteurs alarmés et alarmants ! À ceux qui viennent vous voir, affirmez : « Tout est bien. »

55

LE PASSAGE

Attention aux visiteurs! C'est d'extrême importance. Il en faut peu pour inquiéter certains
malades; un «Je vous trouve moins bien que la
semaine dernière» peut avoir des effets désastreux.
Des infirmières vous diront qu'après l'apparition de
bonnes âmes déprimées et déprimantes, la courbe
de la température monte sur la feuille épinglée au
chevet de leur patient.

Tandis que d'autres visiteurs ont un effet salutaire.
Une femme appelait une amie au chevet de son mari,
grand nerveux: «Viens à sept heures. Quand tu es
là, il n'a pas sa crise d'anxiété.»

C'est gentil, l'habitude qu'on a d'aller voir les
malades, mais encore faut-il ne pas en abuser, et
se faire une loi de leur apporter, avec des fleurs,
des paroles réconfortantes. Je n'ai parmi mes amis
que des gens toniques, mais je sais fort bien que si
pour une cause ou l'autre j'étais contrainte de garder
le lit, et s'il était dans mes relations une personne
gémissante, je lui condamnerais ma porte; quand on

est en état de moindre résistance, mieux vaut éviter les pessimistes.

Garder le cœur ferme. Dans les cas très graves, lors d'une suprême visite, considérez que l'extrême-onction est le sacrement des malades, et non pas, comme on le croit trop souvent, le sacrement des mourants.

Et lorsque nous en serons là, lorsque viendra l'heure de sortir de ce lieu de passage qu'est la vie, nous ancrer fermement dans la certitude du fils qui retourne enfin dans la maison de son Père.

Le parfait équilibre, c'est d'aimer la vie, mais de n'avoir pas peur de la mort.

Je me rappelle une très belle parole qui n'est ni d'un saint ni d'un philosophe stoïcien, mais de Brillat-Savarin. Une sienne tante fort âgée l'étonnait, sur son lit de mort, par sa sérénité. Elle lui dit : « Tu verras qu'il vient un jour où on a besoin de la mort comme du sommeil… »

Il nous importe de vaincre la peur, à tous les ins-tants de notre existence, si nous voulons « passer » sans angoisse : notre mort sera telle qu'aura été notre vie.

56

UN MAL QUI RÉPAND
LA TERREUR...

— On m'assure, dit une dame, que le blé germé donne le cancer... Nous y voilà : actuellement, tout donne le cancer. Ou plutôt, on accuse tout de donner le cancer.

— Ce qui donne le cancer, dis-je à mon interlocutrice, ce sont les mots que vous venez de prononcer. Ce qui donne le cancer, c'est la hantise, la peur du cancer, la pensée-germe du cancer enfouie dans le cœur et dans la chair. C'est aussi la peur elle-même, toutes les peurs, depuis celle de la maladie jusqu'à celle de la pénurie, en passant par la peur de la guerre, etc.

— On voit actuellement tant de gens mourir de cette maladie, répondit la dame un peu interloquée.

Eh ! Expériences atomiques aidant, n'assistons-nous pas à une recrudescence de la peur ? Je ne prétends pas que la peur *donne* le cancer, mais elle crée le terrain favorable, de même qu'une enfance malheureuse, ou tourmentée, crée le terrain favorable à la tuberculose.

Le cancer n'apparaît que rarement chez les êtres très jeunes, qui ont encore confiance en la vie ; il ne ronge physiquement que ceux qui se «rongent» moralement; ce travail mental corrosif entraîne la corrosion des cellules du corps.

Un très grand médecin, avec qui je parlais des maladies dont l'origine n'est point organique, mais mentale, psychologique, psychique, me disait que ces maux, fatigue nerveuse ou ulcère d'estomac – qu'on guérit d'ailleurs en plongeant les malades dans un sommeil où ils oublient leur «moi-moi-moi» – n'étaient pas toujours causés par nos propres états mentaux, mais parfois aussi par les pensées de notre entourage. L'ambiance dans laquelle nous vivons peut agir sur nous comme un dissolvant.

– Comment nous immuniser contre ces influences?

Voilà ce qu'il me répondit:

– Si votre développement vous situe au-dessus de cet entourage, si vous n'êtes pas branchée sur la même longueur d'ondes, il ne peut rien contre vous, sauf si vous avez un défaut de la cuirasse…

Quel défaut? D'abord et toujours, la peur. Viennent ensuite les rancunes qu'on croit «justes», la jalousie qu'on croit «justifiée», l'envie, qui se tapit si bien en nous qu'elle peut y faire tous les dégâts du monde sans même que nous en dépistions l'origine…

Faisons donc bonne garde.

Rappelons-nous ce qu'a dit Salomon dans ses proverbes:

«Un cœur calme est la vie du corps, mais l'envie est la carie des os.»

Sans peur et sans reproche : ni ulcère ni cancer.

APPLICATION. Le remède préventif ?
Remplacer la peur par la confiance totale en l'Esprit qui est en vous, aimer au lieu de haïr, construire au lieu de détruire par chacune de vos pensées, travailler sérieusement sur vous-même afin d'acquérir intimement, profondément, les habitudes du bonheur et de la santé.

57

LE PRIX DE LA GUÉRISON

Parmi les lettres de malades, j'en ai reçu une d'un homme paralysé depuis de longues années et dont la tristesse se conçoit. Après m'avoir exprimé son découragement, il ajoutait, en post-scriptum, qu'il avait pourtant auprès de lui sa femme, dont le dévouement et la tendresse sont admirables.

Je lui répondis que je concevais que son état de santé ne soit pas favorable à un excellent état moral mais que je comprenais mal qu'il semble donner si peu d'importance à la présence auprès de lui d'une si parfaite compagne.

Il me répondit :

« Votre lettre a été pour moi un trait de lumière. Effectivement, j'ai dans ma vie deux éléments essentiels : l'un est ma maladie, l'autre est cet amour. Or, je donne constamment le pas dans mes pensées à la maladie. Depuis que vous m'avez révélé cet aspect de mon état d'esprit, quelque chose en moi s'est transfiguré. La joie s'exalte, se déploie, je rends grâce pour ce que j'ai, et de ce fait même, déjà ma santé s'améliore… »

C'est bien ainsi que nous sommes ; nous voulons tout avoir, mais à nos désirs même nous donnons une forme négative en regrettant ce qui nous échappe beaucoup plus ardemment que nous ne nous réjouissons de nos privilèges.

Bref, nous donnons le pas au négatif sur le positif, nous ne remplissons pas notre rôle qui est d'accroître, par nos vibrations positives, ce qu'il y a de positif en ce monde. Nous ne servons pas. Or, nous devons servir. Notre guérison est à ce prix. Peut-être vous rappelez-vous, dans l'Évangile, la guérison de la belle-mère de saint Pierre.

Jésus, accompagné de Jacques et de Jean, vint dans la maison de Simon et d'André. « Or, la belle-mère de Simon était prise d'une grosse fièvre. Et on le pria à ce sujet. Et se penchant au-dessus d'elle il chassa la fièvre, qui la quitta ; et s'étant levée aussitôt, elle les servit. » (Luc, 4-38.) Qu'a fait la belle-mère de Simon de sa santé ? Immédiatement, elle l'employa à servir.

Dans quel but souhaitons-nous la santé ? Est-ce pour mieux servir, louer avec plus de cœur ? La présence de Jésus dans cette maison était une bénédiction, il y eut échange entre la santé donnée et le service rendu.

Tout est dans cet échange.

173

APPLICATION. Que rien ne nous échappe, que la plus petite joie nous soit sujet de louanges et, à plus forte raison, les grandes joies. Sur ces sommets de l'amour et de la lumière, tout ce qui est ténèbres – la maladie est l'une des formes des ténèbres – cède le pas à la lumière.

58

LA SOUFFRANCE DES AUTRES

Berthelot le diplomate disait : « Dieu me préserve de la douleur physique ! La douleur morale, je m'en charge ! »

En fait, lorsque la douleur physique nous tient dans son étau il nous est extrêmement difficile de n'y pas céder, et de tenir les yeux immuablement fixés sur l'Esprit en nous, sa santé, son bonheur, sa paix. Les apparences criantes parlent plus fort que la vérité de notre être le plus profond.

Dans ces cas-là, nous avons besoin de l'assistance, de l'encouragement, et si possible des prières ardentes de quelqu'un qui ait une foi inébranlable en notre guérison. Quelqu'un qui mérite la parole salvatrice : « Je n'ai jamais vu pareille foi en Israël… Va, ta foi t'a sauvé. »

Quant à la souffrance morale, Berthelot s'avançait beaucoup. La plus cruelle consiste à voir souffrir auprès de nous un être aimé à qui la science ne peut apporter de soulagement. Il faudrait, dans ces cas, pouvoir dégager notre sensibilité de toute inquiétude, voir en esprit ce qui ne peut être sauvé que par l'Esprit. C'est dans ces circonstances que nous éprouvons combien le détachement est une forme de perfection difficile à atteindre. Les préjugés du cœur nous ont fait un mérite de l'émotion ; mais souvent l'émotion est une pierre d'achoppement. Aimer, c'est trop souvent craindre pour ceux que nous aimons, alors que pour les aider, nous devrions déraciner l'angoisse, mettre en son lieu et place la certitude de la guérison. Et rendre grâces, d'avance, à l'Auteur de tout bien.

J'avais une vieille amie anglaise, fort avancée en spiritualité, qui lorsque quelqu'un lui avouait son inquiétude pour un être aimé, s'écriait : « *Hands off !* » En français familier, cela signifie : « Bas les pattes ! » Nos pensées inquiètes, en effet, s'agrippent comme des mains à ceux qui nous sont chers, alors que nous devrions mettre bas les pattes, laisser Dieu agir sans opposer à la guérison l'obstacle de nos craintes.

Là encore, l'aide par la prière de quelqu'un de moins proche peut être plus sereine, plus déliée, donc plus puissante.

Est-ce décevant ? Loin de là. Il est magnifique que nous puissions nous secourir les uns les autres sur le plan calmé de la grande fraternité humaine. Il est magnifique que nous soyons plus efficaces pour de quasi-inconnus que pour ceux qui nous tiennent aux entrailles. Et il n'est pas surprenant que nous puissions rejoindre ainsi en esprit ceux avec qui nous ne sommes liés que par l'Esprit : c'est là une des formes de la communion des saints.

59

LE SURMENAGE, FLÉAU SOCIAL

L'Académie de médecine lance un cri d'alarme: L'Académie de médecine, après avoir entendu un rapport du docteur Biancani, a adopté hier une motion souhaitant que les pouvoirs publics et les entreprises privées examinent les moyens de remédier au surmenage, nouveau fléau social posant un problème angoissant.

La motion demande qu'une grande campagne d'opinion soit entreprise pour lutter contre le surmenage auquel quelques maladies organiques sont déjà imputables et dont l'extension menace de revêtir à brève échéance un caractère de gravité exceptionnelle.

Les habitants des grandes villes subissent sans même s'en rendre compte un surmenage intense venu de l'extérieur: foule, bruit des rues, trafic. Voyez, rien que le fait de prendre l'autobus ou le tram aux heures d'affluence: on se précipite pour prendre un numéro d'ordre, on guette, cou tendu – «Non, ça n'est pas ma ligne» –, le véhicule arrive, on se rue, numéro en main, pas de place pour vous, nouvelle attente, on s'énerve, nouveau bus, nouvelle ruée, vous montez de justesse. Pas de place dans la voiture, on fait poinçonner les tickets en équilibre instable, on guette un siège, on guette la station… Ces manœuvres, et bien d'autres, exécutées machinalement, n'en constituent pas moins une suite d'efforts, une tension continue.

Nous sommes moins surmenés par le travail que par le train quotidien de la vie.

Peut-on s'immuniser ? Oui.

60

UN PEU DE MÉTHODE

Vous connaissez tous des gens qui se dépensent dix fois plus qu'il n'est nécessaire ; le plus simple des travaux – mettre le couvert, par exemple – implique d'innombrables allées et venues alors qu'il est simple de tout transporter en deux ou trois fois. Va-t-on faire des courses ? Il faut y retourner, car on a oublié la moitié du nécessaire. Par pitié pour vous-même, un peu de méthode ! Le matin, préparez votre journée en groupant vos occupations afin qu'un seul dérangement suffise autant que possible à plusieurs fins. Notez l'essentiel, afin de ne rien oublier. Évitez tout dérangement superflu.

Mieux encore : dans l'existence la plus laborieuse, que de temps perdu ! Une personne que je connais s'est fait une maxime : « Ne jamais faire le jour même ce que je puis si bien ne jamais faire… » Elle a ainsi débarrassé son existence d'une foule de riens importuns… Voilà du temps trouvé pour un peu de repos, la lecture, les indispensables minutes de silence, une conversation paisible avec un fils qu'il s'agit de mieux comprendre, un malade qu'il faut aider à vivre, un désespéré à qui on peut rendre courage. La méthode est si nécessaire que souvent les oisifs ont moins de temps libre que les travailleurs. Pourquoi ? L'absence d'une occupation définie leur fait croire qu'ils peuvent se passer d'ordonner l'emploi de leur journée. Gâchis s'ensuit.

L'organisation méthodique de nos heures, l'emploi raisonnable de nos forces, est une forme active du recueillement : elle est déjà féconde. Plus riche encore est sa forme passive, celle qui consiste à faire taire notre intellect pour écouter la voix de l'Esprit qui est en nous, ce guide invisible et parfait. Toutes deux sont indispensables à une existence qui se veut fructueuse.

APPLICATION. Vous êtes surmené ? Commencez par mieux vous organiser, cela vous fera gagner beaucoup de temps. Ces minutes sauvées, consacrez-les à enrichir votre vie intérieure. Votre existence en sera transformée comme le jardin où les orties sont remplacées par des fleurs et des fruits.

DÉPRESSION NERVEUSE

Cela devient inquiétant. Ils sont trop, ceux qui souffrent de dépression nerveuse. Et plus nombreux encore ceux que la crise menace et qui, au lieu de donner le coup de frein sauveur, appuient sur l'accélérateur…

Voilà à quoi je songeais, entre une jeune fille blonde, à qui tout semble sourire mais qui sort d'une cure de sommeil, et un homme dans la force de l'âge, en pleine crise de dépression. Celui-là me parlait de sa hantise du suicide, de ses insomnies, des larmes qu'il ne pouvait maîtriser, et me demandait, avec un accent déchirant :

— Croyez-vous que je puisse guérir ?

Où qu'on aille, on bute sur des déprimés, des excités, des anxieux, des désespérés, bref, des gens dans des états de névrose grave. Soucieuse, j'ai interrogé un médecin :

— Sont-ils plus nombreux qu'autrefois ?

— Infiniment plus nombreux, m'a-t-il dit.

N'accusons pas, uniquement, la vie trépidante des villes, la tension d'esprit intellectuelle, les soucis matériels : des paysans d'apparence placide sont atteints, aussi bien que de bonnes gens qui ne lisent pas un livre par an ; des riches comme des pauvres, des bien logés comme des mal logés, d'éternels fatigués comme de robustes natures.

L'un de ceux-là m'a donné la clef de sa névrose. Trente ans, cultivateur – est-il métier plus sain ? –, passionné de rugby – est-il plus saine distraction ? Le jour où il put enfin acheter la maison dont il rêvait, il me dit : « J'ai l'impression de ne plus avoir de but dans la vie… »

Six mois plus tard, il était dans une maison de santé, en proie à une dépression grave.

Un but dans la vie, c'est peut-être le ressort de notre résistance. S'il manque, le ressort lâche. Il se peut aussi que d'incessantes et petites difficultés s'interposent entre notre but et nous : dans ce cas, le ressort s'use. (Je dis bien des petites difficultés, les grosses renforcent plutôt notre combativité : jamais il n'y eut moins de névrose en France que pendant la guerre…)

Je n'ai pas la science voulue pour donner les causes de la dépression nerveuse, ni indiquer les remèdes. Je tiens seulement à dire ceci : cela se soigne, se guérit. Si vous en éprouvez les signes avant-coureurs, voyez un médecin, tout de suite. Prise à temps, la crise peut être enrayée.

1er signe. — L'homme ou la femme ne sont plus maîtres de faire taire l'inquiétude, le souci, pour trouver le sommeil.

Si cet état persiste, demandez à votre médecin de vous indiquer un hypnotique léger.

2e signe. — Même en état de veille, on éprouve comme un écartèlement de la personnalité. Désirs, sentiments, pensées, projets, refus, décisions, hésitations, clignotent en même temps, ou se succèdent à un rythme vertigineux, et le pauvre « moi » oscille de l'un à l'autre comme l'aiguille d'une boussole folle.

Ce signe qui s'accompagne d'un sentiment aigu de fatigue, de pesanteur du crâne, de crispations, mérite déjà un traitement médical, et surtout un bref changement de vie : deux ou trois jours de repos et de distractions tranquilles peuvent tout remettre en ordre.

3e signe. — On est trop fatigué pour pouvoir se reposer… À la fin d'une journée de travail, on fuit la maison, le lit, pour se précipiter n'importe où faire n'importe quoi. Les cafés, les bars, les cabarets, les spectacles de toutes sortes, regorgent de ces déboussolés. Et les routes, donc ! À cent trente à l'heure !

Ce signe-là s'inscrit en rouge : « Sens interdit… Danger… » Il faut voir un médecin, d'urgence. Il est extrêmement rare que ceux qui en sont là aient la volonté nécessaire pour se contraindre à une cure de repos qui, pour eux, est vitale, à faire silence en eux et autour d'eux. Ils rêveraient plutôt d'un voyage, pour fuir ce qui les entoure, sans savoir que le mal est en eux, qu'ils l'emportent avec eux, où qu'ils aillent. Le seul remède qui ne soit pas médical serait un engagement de leur être tout entier dans une activité nouvelle, vitale, qui les entraînerait dans un tout autre milieu. La routine des obligations et des métiers ne s'y prête guère.

Reste le médecin. Il peut faire beaucoup pour vous lorsque vous êtes hors d'état de vous aider vous-même. Alors, par pitié pour vous et votre entourage, soignez-vous!

62

LA PAIX CHEZ SOI

Les X... sont des gens charmants, d'une bonté sans défaut, d'une honnêteté sans faille ; ils forment une famille cohérente, sympathique, chacun d'eux se ferait couper en morceaux pour n'importe lequel des autres.

Leur maison est un paradis ? Hé non ! On n'y parle qu'à grands cris, on ne saurait discuter sans se disputer, demander le pain, le sel, autrement qu'en grondant.

Qui a donné le ton ? Le père, probablement ; et même le père du père : faire la grosse voix est une habitude, pour ne pas dire une hérédité.

Madame vit dans la terreur ? Un peu, si peu ; elle « s'arrange », dissimule au mari ce qui pourrait susciter ses éclats.

Les enfants tremblent devant ce père tonitruant ? Ils « s'arrangent » eux aussi, et se sont fait de la dissimulation, sinon du mensonge, une seconde nature.

Ces vies secrètes qui se côtoient n'en sont pas pour cela tranquilles ; tout est prétexte à querelles, on élève le ton pour un oui comme pour un non.

De même, les automobilistes abusaient du klaxon, dans nos grandes villes, pour le plaisir, pour ne pas faire moins de bruit que le voisin. Une sage ordonnance a créé le silence… dans la rue, mais chacun reste libre de crier à domicile. Les vibrations de la voix humaine peuvent pourtant atteindre à celles d'une trompe d'automobile, et exercer les mêmes dégâts sur notre système nerveux.

Il n'y a pas que les clameurs qui soient, pour le crieur comme pour les auditeurs, une fatigue inutile : un flux continu de paroles plus ou moins véhémentes est usant, épuisant. Si les cris tempétueux sont en général le fait du sexe mâle, le sexe féminin détient l'apanage du déluge des mots. Lorsque ces mots sont des doléances ou des reproches, voire des conseils, fussent-ils excellents, les nerfs de dix personnes peuvent en être irrités.

Les stentors domestiques, les Cassandres privées, m'écouteront-ils si je leur dis que l'atmosphère tapageuse et querelleuse où ils vivent est un gaspillage de forces, une usure des nerfs ?

Le premier pas de la lutte contre le surmenage, c'est d'établir la paix chez soi.

APPLICATION. Quelqu'un crie? Ne criez pas plus fort, mais, au contraire, baissez la voix. À l'attaque, ne répliquez pas. Au début, la vigueur des assaillants redoublera, mais bientôt votre silence fera impression, surtout si votre Moi réel s'adresse en pensée au Moi réel de chacun des braillards : « La paix est en toi... La paix règne dans la maison... »

63

LA PAIX EN SOI

Plus importante encore est la paix *en soi* : c'est elle qui conditionne la paix *chez soi*. L'agitation, le tumulte intérieur, le charivari que mènent les doutes, les peurs, les contradictions, les inquiétudes, les rancunes, les hésitations, les révoltes, sont encore plus exténuants que ne le sont l'agitation et le tumulte extérieurs.

Leur imposer silence, en laissant s'exprimer les pensées positives, c'est retrouver le calme, donc la santé morale et la santé physique, c'est renaître.

Je vous ai dépeint comme un surcroît de fatigue le seul fait de prendre l'autobus ou le tram ; mais si vous ne vous impatientez pas – à quoi bon ? cela ne fera pas venir le véhicule plus tôt –, si vous ne trépignez pas, si vous avancez calmement au lieu de vous ruer, si votre esprit reste en paix, tandis que votre corps exécute les mouvements nécessaires, le gaspillage des forces sera bien moindre.

Cela dit, refusez-vous à vivre en état de survoltage en faisant comme tant de gens plusieurs choses à la fois ; par exemple laisser marcher la radio pendant qu'ils parlent, lisent ou écrivent, regarder la télévision pendant le repas ; le fameux « travailler en musique » finit par devenir un supplice pour les nerfs.

Enfin, lorsque vous êtes exténué, n'en arrivez pas à ce point où l'on est trop las pour se reposer, où, les nerfs à vif, on se traîne au cinéma ou au café. Imposez-vous de rester tranquille. Prenez un livre, qui ne soit pas une sombre histoire d'assassin. Le goût de la littérature noire est pour quelque chose dans le « surmenage » nerveux de nos contemporains.

Paix en vous. Silence en vous. Évitez l'éparpillement, le papillotement de vos pensées. Lorsqu'elles volettent de souci en préoccupation, attrapez-les, comme on attrape une mouche dont le bourdonnement énerve et obsède, et contraignez-les à l'immobilité. « À vous, mon Dieu ! À vous tous les détails, petits et grands, de mon existence ! Je m'en remets à vous, et je me repose, et je dors. Demain, je me remettrai au travail avec l'énergie décuplée de ceux qui savent ne pas se gaspiller en vains surmenages… »

APPLICATION. Voici les mots qu'il m'arrive de prononcer, les yeux fermés, pour maîtriser le va-et-vient usant – et inutile – des pensées :

Dieu, mon Père.
Je ramène toutes mes pensées vers toi.
Mon corps, mon cœur, mon intelligence, mon âme,
    mon esprit, se reposent en Toi.
En Toi je trouve le repos, la lumière, la vie.

64

LE CORPS EN REPOS :
RELAXATION

De quel ton affligé ne dit-on pas, au sortir de chez le médecin : « Il m'a ordonné le repos ! » comme s'il s'agissait d'une grave punition. Ignorons-nous à ce point qu'il n'est activité féconde sans repos proportionné ? Pour évaluer la capacité productive d'un être humain, il serait plus utile de lui demander : « Comment vous reposez-vous ? » plutôt que : « Comment travaillez-vous ? »

Non seulement nous sommes affairés, pressés, bousculés, bousculants, mais nous sommes crispés, c'est-à-dire que notre moteur est « grippé », faute de cette huile bienfaisante qu'est un repos raisonnable. Contrôlez à l'instant même vos mains, vos jambes, votre front, votre langue : crispées vos mains, crispés les muscles des jambes, crispés les sourcils, crispée la langue collée au palais. La crispation est devenue notre seconde nature, si bien que même les jours où nous croyons nous être reposés, il nous arrive de nous avouer « morts de fatigue ». Et nous nous étonnons de vieillir... Si vous connaissiez les effets de la crispation sur l'organisme, vous ne seriez plus surpris.

Sachez que le mystérieux travail de renouvellement constant de notre corps ne s'accomplit que dans le repos. C'est alors que naissent les cellules neuves, que s'éliminent les cellules mortes et les toxines, que se reconstituent nos réserves. Cet admirable labeur s'accomplit pendant le sommeil – si nous dormons détendus – et pendant la relaxation.

Qu'est-ce que la relaxation ? Regardez le chat étalé au soleil ; à votre approche, il ouvre un œil, donc il ne dormait pas, mais quel abandon, quel « lâcher tout » de chacun de ses muscles ! Quelle belle leçon de totale détente il nous donne ! Aussi ne voit-on jamais un chat « fatigué », même s'il est un enragé chasseur de souris et d'oiseaux. Il n'a pas besoin de dormir de longues heures ; un quart d'heure de détente parfaite de-ci de-là, et le voilà prêt à bondir, avec la prodigieuse prestesse des félins.

Apprenez à vous détendre.

Allongez-vous de préférence sur un divan dur, ou par terre sur un tapis. Un coussin sous la nuque, un autre sous les genoux, un sous chaque avant-bras : il s'agit de donner un appui aux parties du corps qui auraient tendance à vouloir se soutenir elles-mêmes.

Pour acquérir la conscience de l'état de relaxation, prenez d'abord celle de l'état de crispation dans lequel vous vivez. Serrez un poing, lâchez… Serrez les mâchoires, relâchez… Crispez, puis relâchez le plexus solaire, suivez ainsi toutes les parties du corps, comprenez la différence…

Et abandonnez-vous. Dans cette détente qui n'est pas encore parfaite, vous distinguerez bientôt un léger sentiment de tension. Pour le dissiper, il va falloir l'aide de votre imagination. Représentez-vous mentalement des images sereines, le calme souverain qui règne entre mer et ciel par beau temps, la profonde immobilité d'une nuit étoilée. Vous n'avez rien à faire, rien. Votre mère la terre vous porte. Vous n'avez point à crisper un orteil. Laissez-vous aller… Faites comme le chat, comme l'enfant endormi, pesez de tout votre poids, laissez-vous aller…

Au début, il se peut qu'on éprouve un léger vertige, tant le soudain « déblocage » de nos nerfs accélère la circulation du sang dans nos artères. Tant pis pour le vertige, laissez-vous aller. Au bout de quelques instants de vraie relaxation, vous aurez chaud merveilleusement, de la bonne chaleur naturelle d'un organisme sain et libéré. Attention à la langue collée au palais, votre langue doit être molle dans la bouche. Ne sentez-vous pas que votre visage semble repassé de l'intérieur ? Si vous pouviez vous voir : vos rides sont effacées… Mais ne bougez pas ! Un quart d'heure de relaxation vous absoudra des fatigues de toute une journée.

Surtout lorsque vous saurez assez bien vous détendre pour faire en même temps le vide de toute pensée, de toute préoccupation.

LES ENFANTS

65

LES ENFANTS ONT
L'INSTINCT DU BONHEUR

Vous savez maintenant que la science du bonheur procure essentiellement la paix et la joie intérieures ; elle nous enseigne à déraciner en nous la peur, la haine, la colère, tous les sentiments négatifs, à les remplacer par des pensées et des sentiments positifs, dont les fruits sont santé, joie, réussite.

Les résultats sont d'autant plus lents que nos habitudes de pensée négative sont enracinées depuis longtemps. Beaucoup d'entre nous ont beaucoup à lutter pour acquérir les réflexes positifs innés chez ceux dont on dit : « Il a une heureuse nature. »

Cette heureuse nature, vous devez aider vos enfants à la développer : il en rejaillira sur vous-même de grands bienfaits. Car s'il vous faut de grands efforts pour vous abstenir de critiquer, de vous plaindre, d'exprimer le doute, la peur, de parler maladies, catastrophes, vous pouvez tout de même vous imposer la discipline de ne pas tenir ces propos devant vos enfants. *L'enfant enregistre tout, tout retentit et s'amplifie dans la sensibilité enfantine.* La crainte de manquer d'argent à la fin du mois que vous exprimez parfois, à la légère, peut prendre pour votre enfant les proportions d'un drame. Un adulte, grand anxieux, m'a dit avoir gardé un souvenir affreux de nuits passées en larmes, lorsqu'il avait quatre ou cinq ans et qu'il entendait son père dire après examen des comptes de la maison : « Si cela continue, nous n'allons plus pouvoir nourrir les enfants... »

À l'origine de toute existence malheureuse ou ratée, on découvre une angoisse acquise dans l'enfance.

Un ami, toujours malade, m'avoua un jour : « Je n'ai été entouré que de pensées de maladie. Ma mère était de ces femmes dolentes qui aiment à se faire plaindre. Je me la rappelle, penchée sur mon petit lit – je devais avoir cinq ou six ans –, et elle me disait en pleurant : "Pauvre enfant, ta maman va mourir." Mon père était mort peu après ma naissance, et j'ai vécu toute mon enfance dans la terreur de rester orphelin. »

Il convient d'ajouter que cette mère fragile n'est morte qu'à soixante-quinze ans.

Autre exemple : un garçon échoue en tout, malgré des dons exceptionnels. Il m'avoue lui aussi : « Mon père me reproche de ne pas réussir dans la vie, alors que c'est lui qui m'a inculqué la peur d'agir qui me ligote. Enfant, je le voyais rentrer du bureau pour se jeter dans un fauteuil, maudissant son travail et l'obligation où il était de faire un travail fastidieux pour élever sa famille… Or cela n'était chez lui qu'une attitude, une façon d'apitoyer ma mère… N'empêche que cela m'a marqué ; je n'arrive pas à considérer l'existence et le travail comme une lutte saine, sportive joyeuse… »

C'est ce qu'on appelle dans l'Évangile « scandaliser l'un de ces petits ». Voilà une faute grave que bien des bons chrétiens commettent, sans même avoir conscience de mal agir, tant nous sommes aveuglés. Les parents qui mériteraient « qu'on passât autour de leur cou une meule et qu'on les jetât à la mer » sont innombrables.

APPLICATION. Prenez garde… Lorsque vous parlez devant des enfants, demandez-vous si vous souhaitez vraiment que les mots prononcés devant eux les marquent pour la vie, conditionnent leur destin. Taisez ce qui risquerait de les troubler.
Insufflez-leur la foi, l'espérance, l'amour.
Si vous n'avez pas vous-même d'enfants, aidez à vivre dans la lumière les enfants des autres.

66

ENSEIGNEZ L'OBÉISSANCE
À VOS ENFANTS

Je suis résolument contre les enfants gâtés ; j'aime trop les petits, je tiens trop à ce qu'ils deviennent des hommes et des femmes efficaces, heureux, capables de faire leur bonheur, celui de leur entourage, et de contribuer à l'amélioration de cet univers, pour admettre qu'on gâche leur destinée par faiblesse, paresse, ou sottise. Même par amour, car c'est là un amour mal compris.

Savez-vous que gâter un enfant, c'est multiplier pour lui les causes d'inquiétude ? Un enfant gâté, c'est celui à qui on ne demande pas d'obéir, mais de choisir.

– Tu ne veux pas manger ta soupe ? Préfères-tu du lait ? Que veux-tu ? Un œuf ?

Au lieu de contenter l'enfant capricieux, ces propositions diverses ne font qu'exaspérer son indécision anxieuse. Tout finira par des larmes. Et vous déclarerez que votre enfant est insupportable.

Mais non. C'est vous qui êtes dans votre tort. Mettez-vous à sa place : n'êtes-vous pas conscient de la difficulté de choisir, de prendre une décision ? Cette obligation n'est-elle pas souvent pour vous une cause de tourment, d'inquiétude, de tension ? Or vous imposez à un marmot une épreuve déjà lourde pour une personne majeure : vous lui demandez, à longueur de journée, de choisir, de décider… Et vous vous étonnez qu'il ne soit pas heureux, l'enfant que vous gâtez en croyant maladroitement faire son bonheur ?

Un enfant calme deviendra un homme calme. Un homme calme est un homme maître de ses pensées, donc capable de les orienter vers le bonheur ; c'est donc un homme heureux, car rien ne se manifeste dans notre vie qui n'ait d'abord été une pensée.

C'est pourquoi nous devons nous efforcer d'inculquer le calme à nos enfants ; par pitié, laissez les vôtres tranquilles…

C'est en habituant doucement, fermement l'enfant à obéir, que vous l'établirez dans la paix et la bonne humeur. Il ne demande que cela, ancré dans la certitude que ses parents l'aiment et ne veulent que son bien.

Et rappelez-vous : « Pour savoir commander, il faut savoir obéir. » L'enfant à qui on a appris à obéir saura d'abord se commander à lui-même, s'imposer de travailler en classe, de dominer ses craintes avant un examen, vaincre les côtés négatifs de son caractère.

Et puis, un jour dans la vie, il sera de ceux auxquels on aime obéir…

APPLICATION. Croyez-moi : dès sa naissance, mettez dans le berceau de votre enfant ce bel atout : l'obéissance.

L'ENFANT ET LE JARDIN

Le jardin qui fait ma joie n'était naguère qu'un champ de ronces, de pierrailles, de détritus. Je me rappelle mon désespoir lorsqu'en juin le tracteur n'était pas encore passé : « Jamais on n'en finira… » Eh bien, au jour le jour la peine, le terrain fut défriché, labouré, ensemencé, planté, et déjà la pelouse s'étend comme un tapis de velours vert, sur lequel les fleurs posent leurs couleurs, jettent leur cri de joie.

Mais il fallut *tout* faire. La nature nous enseigne que tant que nous n'avons pas *tout* fait, nous n'avons rien fait. Ainsi dans la vie : on n'élude aucune difficulté. Nous aimerions bien, pourtant, de temps en temps, nous boucher les yeux, les oreilles, refuser l'option, refuser l'action, mais je l'ai constaté mille et une fois : la difficulté que nous refusons d'affronter nous rattrape au tournant, aggravée au centuple. Dans notre vie privée comme dans les affaires publiques, mieux vaut faire face immédiatement.

Et comme du jardin monte le rire d'un bébé, j'ai envie de vous dire, aussi, que ce principe s'applique à l'éducation des petits enfants.

Je m'émerveille de voir la ténacité jardinière, la sagesse, la force, la douceur qu'une mère digne de ce nom oppose aux caprices enfantins, et même aux larmes, car pour en venir à ses fins le fripon use de tous les arguments, y compris des câlineries à faire fondre un rocher. Eh bien non, elle ne cède pas. Jamais elle ne cède. À aucun instant de la journée elle n'élude l'impérieuse nécessité de former, alors qu'il en est temps, ce petit caractère.

Résultat ? Un enfant joyeux au maximum, et calme, et gentil. La fermeté maternelle le délivre de l'angoisse de choisir et de décider, que trop de parents faibles imposent à de trop jeunes cervelles, à de trop fragiles systèmes nerveux.

68

C'EST LE JOUR ET LA NUIT...

La santé de nos enfants dépend de nous. Non seulement des soins que nous leur donnons, mais des pensées que nous entretenons auprès d'eux.

Une jeune femme avait trois petites filles lorsque enfin naquit un garçon. Mais la mère était d'un naturel anxieux. Tremblante devant le bonheur, elle ne put s'empêcher d'affirmer dès l'arrivée de l'héritier tant souhaité : « J'ai idée que cet enfant me vaudra tous les ennuis possibles… » Âgé de quelques mois, il a une bronchite : « Je l'avais bien dit, proclame-t-elle, je n'ai vraiment pas de chance… » Il en avait simplement été fait selon sa parole.

Une suite de circonstances l'amena à vivre chez sa belle-mère. Et il se passa ce qui n'est étonnant que pour ceux qui ignorent les lois de la pensée : pendant le jour, où il était soigné par sa maman inquiète, tourmentée, l'état du petit empirait ; alors que la nuit, qu'il passait dans la chambre de sa grand-mère, un mieux notable se manifestait… C'est que la grand-mère ne cessait d'affirmer la santé, tout en donnant à son petit-fils les soins médicaux de rigueur. Chacun sait que c'est pendant la nuit que la température augmente, mais, contrairement à toutes les règles physiologiques, le thermomètre ne marquait le soir que trente-sept, tandis qu'il s'élevait parfois à trente-neuf degrés pendant la journée…

Un esprit positif et un esprit négatif font, en réalité, le jour et la nuit… J'ai encore vu récemment une petite fille malade en l'absence de sa jeune maman optimiste retrouver la santé dans les vingt-quatre heures lorsque la mère remplaça à son chevet une parente torturée par l'angoisse…

Quelle conscience ces faits ne doivent-ils pas nous donner de nos responsabilités! Comme nous sommes coupables, lorsque nous entretenons des pensées de maladie, d'échec, auprès de ces petits qui sont tellement sensibles à la moindre de nos réactions! Leur subconscient obéit aux ordres que nous leur donnons. Quels ordres? Nos craintes, ou nos espoirs avoués ou inavoués. Ces ordres sont péremptoires lorsque nous les formulons en paroles. Quel mal nous faisons à nos enfants lorsque nous nous laissons aller à douter de leurs capacités, des possibilités de bonheur que leur offre l'existence!

Que les femmes qui dans leur propre intérêt ne trouvent pas le ressort nécessaire pour espérer envers et contre tout travaillent à acquérir la force indispensable, en songeant qu'elles tiennent en main l'avenir de leurs enfants. Tout dépend de vous. N'est-ce pas merveilleux? N'est-ce pas consolant? Cela ne vaut-il pas mille fois mieux que de dépendre d'un sort aveugle?

APPLICATION. Maintenez au beau fixe votre volonté de bonheur pour ceux qui vous entourent, et le bonheur sera, il est déjà, et ne demande qu'à fleurir, pour peu que vous soyez une jardinière attentive.

69

LE PROFESSEUR
N'EST PAS BRUTAL

Une mère a conté l'histoire suivante. Robert, son petit garçon de dix ans, cherchait par tous les moyens à ne pas aller à sa leçon de culture physique. Il finit par avouer que la brutalité du professeur le terrifiait, ainsi que beaucoup de ses condisciples.

La jeune maman expliqua doucement à l'enfant qu'il se trompait, que nul homme n'est brutal, que tout homme a en lui un être merveilleux, fait de bonté, d'amour pour tous, que le professeur lui-même était dans l'erreur lorsqu'il donnait le pas à un être coléreux dont les manifestations n'étaient que superficielles. Lui-même, Robert, qui aime tant ses parents, n'agissait-il pas de temps en temps comme s'il ne les aimait guère, en désobéissant, en préférant la paresse au travail de l'école ? « Et pourtant tu nous aimes, tu sais que nous voulons ton bien, tu connais le prix du travail et l'intérêt que tu as à obéir !… »

Robert retourna à la gymnastique. Il y alla même avec de plus en plus de plaisir. La mère, qui observait le déroulement des faits du coin de l'œil, alla voir un jour le directeur de l'école, et s'enquit des leçons de gymnastique.

— Tout va pour le mieux, lui fut-il répondu. Jamais ce cours n'a mieux marché, les élèves y prennent de plus en plus goût.

— Le professeur n'est-il pas un peu brutal ?

— Au début, les élèves en avaient peur. Mais il faut reconnaître qu'il semble maintenant beaucoup mieux les comprendre.

Et le petit Robert avoua à sa maman : « Lorsque je suis retourné à la classe de gymnastique, je n'ai fait que me répéter : "Le professeur n'est pas brutal…" Chaque fois qu'il me brusquait, chaque fois qu'il me criait après, je me rappelais ce que tu m'avais dit : "Il *paraît* brutal, mais ça n'est pas vrai…" Et il est devenu on ne peut plus gentil, non seulement pour moi, mais pour tous les autres. Et quand je dis qu'il est devenu, je ne dis pas la vérité : il montre maintenant ce qu'il est en réalité… »

Histoire authentique. Un enfant nous montre à quel point la pensée juste, fermement mainte-nue, déplace les montagnes. Car n'est-ce pas une montagne, pour un enfant, que la brutalité d'un homme ? J'espère que la démonstration du petit Robert, dix ans, ne sera pas perdue pour les grandes personnes…

APPLICATION. Enseignez à vos enfants à voir la vérité lumineuse qui est dans tous les êtres. Les petits sont proches de cette vérité, ils la saisiront admirablement.

70

NOËLS SANS VANITÉ

Ce 24 décembre était glacial, mais il faisait chaud dans les magasins, de la chaleur des calorifères, mais aussi de l'enthousiasme des enfants, de la surexcitation des parents. Chaleur aussi des convoitises et vanités humaines. C'est au rayon des jouets que j'entendis ce dialogue :

MADAME. – Ce cheval pour Dédé… Qu'en dis-tu ?
MONSIEUR. – Dédé est bien petit… Ce grand cheval ne l'amusera guère.
MADAME. – Oui. Mais c'est un jouet splendide.
LA VENDEUSE. – De l'authentique crin de cheval…
MADAME. – Le prix ?
LA VENDEUSE. – 15 900 francs.
MONSIEUR. – C'est cher. Bah ! Ça en mettra plein la vue aux parents ! (*Sic.*)

Autre histoire vraie. Un ménage qui ne roule pas précisément sur l'or. On vit pour l'extérieur, les enfants regorgent de jouets, mais leur linge est minable. Une tante d'esprit pratique leur offre, pour Noël, de bons et beaux pyjamas. Les petits en sont si heureux qu'une grand-mère qui a donné une bicyclette croit opportun de préciser : « Vous savez, mes chéris, un pyjama, cela coûte bien moins de sous qu'un vélo… »

Et voilà comment on déforme l'esprit des tout-petits. Voilà comment on leur inculque le sens de l'argent – ce sens nécessaire à bien des points de vue – sous son aspect le plus cynique et le plus bas.

Là-dessus, avec une étonnante inconscience, on les emmène voir la petite étable de Bethléem où est né Celui qui est venu au monde pour nous enseigner le mépris des vanités. Oh ! les crèches qu'on leur montre ne risquent pas de leur révéler la misère. On a beau leur expliquer : « L'enfant Jésus est né dans une étable entre l'âne et le bœuf », l'innocence peut conclure : « C'est joli, une étable, cela brille, tout y scintille au milieu des fleurs blanches et des plantes vertes. » Des parents sensibles font certes remarquer à leur enfant qu'il n'y avait pas de place pour Marie et Joseph dans les auberges de Bethléem, mais comment un petit peut-il comprendre ? Au nom de Celui qui voulut naître pauvre en un monde sans pitié, on le comble, lui, de jouets où, plus encore que l'amour, l'orgueil trouve son compte. Un Noël vécu dans sa plénitude l'émerveillerait bien plus qu'un Noël de luxe.

Non pas qu'il faille priver les marmots de joujoux, mais ne les privons pas non plus de la joie des anges et des bergers…

APPLICATION. Ne chiffrez pas la joie de vos enfants en billets…

CEUX QUI VEULENT
ÊTRE « FORMÉS »

Une jeune femme m'appelle à l'aide ; elle voit, me dit-elle, défiler chez elle de petites bonnes qu'elle traite avec une extrême bienveillance, et qui laissent des « moutons » sous les lits, sans parler d'autres formes de négligence, alors que ses amies, qui exigent et tempêtent, obtiennent des résultats mirobolants.

Eh ! madame, elles sont jeunettes, et vous les « gâtez », dites-vous. Cela est fort gentil, mais à une condition : c'est que ce traitement aille de pair avec un excellent enseignement. On peut choyer les enfants, cela n'empêche pas d'être ferme en tout ce qui concerne un bon travail à l'école, une conduite raisonnable à la maison.

Les êtres jeunes sentent très bien l'existence d'une main ferme dans le gant de velours, et ils apprécient cette fermeté. Les petites bonnes dont vous parlez ont sans aucun doute le désir légitime de bien apprendre leur métier – quand bien même ce désir ne serait pas conscient –, de même qu'un enfant apprécie celui qui sait redresser ses erreurs et le former pour la vie.

On me contait le cas d'une petite fille qui devait, pour les vacances, choisir entre ses deux grands-mères : l'une qui lui laissait faire ses trente-six volontés, l'autre un tantinet sévère, mais juste, comme on dit… À l'étonnement unanime, la petite choisit Mère-Grand numéro 2.

– Comment, lui dit-on, tu préfères Mamie X… qui te gronde quand tu négliges tes devoirs de vacances, qui te fait faire ton lit et cirer tes chaussures, à Mamie Y… qui ne sait qu'inventer pour t'amuser ?

– Je veux, répondit la jeune demoiselle, être une petite fille bien élevée…

N'est-ce pas admirable ? Les enfants ne sont-ils pas plus sensés que bien des grandes personnes ? Que de choses nous avons à apprendre de leur bon sens que la paresse de vivre n'ait pas encore entamé…

APPLICATION. J'espère que cet exemple démontrera que « tout passer » aux jeunes n'est pas le plus sûr moyen de s'en faire aimer. Bien les guider vaut mieux.

72

VOYAGE AUTOUR
DE MA PETITE-FILLE

Le médecin m'ayant ordonné de partir me reposer, je ne me suis pas sentie très encline à me mêler à la foule des voyageurs de Pentecôte. Que souhaitait-il pour moi, ce bon docteur? Sans doute que j'abandonne pour une semaine mes livres, mes papiers, ma machine à écrire.

J'ai donc décidé de consacrer ce temps à ma petite-fille; une enfant de cinq ans est, en effet, le plus charmant et le plus reposant des paysages. Mais comme il est impossible d'empêcher la machine à réfléchir de fonctionner, j'ai tiré de ce voyage autour de ma petite-fille quelques constatations.

La plus importante est l'extrême influence qu'exercent sur les petits les faits et gestes de ceux qui les entourent.

La jeune Aline est, de son naturel, amie du savon, de la brosse, et très ordonnée. Mais il a suffi d'une compagne paresseuse et brouillonne, pour que le fait de se laver et de ranger ses affaires ait perdu désormais à ses yeux tout prestige. Et comme elle adore cette compagne paresseuse et brouillonne, elle s'accommode fort bien d'un chandail déchiré, elle qui, auparavant, ne pouvait supporter qu'il lui manquât un bouton.

Les enfants sont doués d'esprit d'imitation. On peut tout obtenir d'un enfant qui vous aime : le bien comme le mal, avec le même élan. Servons-nous de cette tendance pour leur inculquer les meilleurs principes.

APPLICATION. Pratiquez vous-même les qualités que vous souhaitez voir acquérir à vos enfants. Vous les verrez évoluer harmonieusement sans avoir à crier ou punir.

73

LOUPS-GAROUS

Les brusques sautes d'humeur d'une jeune femme m'ont donné à réfléchir. Comment une fille intelligente et sensible peut-elle, soudain, céder ainsi au démon de la violence et de la colère, créer de véritables drames ? Elle est impressionnable à l'excès ; à ces moments où elle semble haïr tout au monde, y compris elle-même, succèdent des heures d'affectivité où il suffit que quelqu'un soit en retard d'un quart d'heure pour qu'elle imagine des accidents ; un léger reproche lui fait perdre sommeil et appétit.

Elle m'a avoué ceci : elle n'a jamais surmonté l'effroi que lui ont causé les histoires de loups-garous qui la laissaient tremblante de terreur dans son lit d'enfant. Elle avait en même temps pris goût à ces récits effrayants, et plus tard, elle se cacha pour lire des romans policiers. Elle ne s'est rendu compte du mal que cela lui a fait que lorsque son système nerveux fut détraqué ; une porte qui s'ouvre, un bruit, la font sursauter, déchaînant en elle une terreur panique qui se traduit par les violences dont j'ai parlé.

Il s'agit maintenant de lui rendre son équilibre en substituant à la peur la confiance, le calme, l'amour. Elle doit effacer les images tragiques qui se présentent à son imagination comme on efface sur un tableau noir les données fausses d'un problème, et les remplacer par les données justes. S'il est parmi mes lecteurs quelques victimes de la littérature noire, c'est ainsi qu'ils devront procéder.

Je n'hésite pas à dire aux parents qui me lisent que c'est un crime que de faire peur aux enfants. C'est un crime que de leur raconter des histoires terribles. La plupart des contes pour enfants sont propres à donner des cauchemars, les grandes personnes ne s'en rendent pas compte. Voyez Barbe-Bleue, le Petit Poucet, voyez saint Nicolas et les six petits enfants dans le saloir. Ce sont là d'atroces faits divers, qui hantent l'imagination enfantine. Songez un peu à ce que peut éprouver le tout-petit nourri de ces fables, qu'on « met au coin » pour un méfait… Vous ne donneriez pas de la strychnine à petite dose à vos enfants, mais en leur inculquant la peur, vous faites bien pis…

APPLICATION. Entourez vos enfants de couleurs et d'images gaies, faites-leur chanter des chansons joyeuses. Faites-leur comprendre, dès l'âge le plus tendre, que le bonheur est en eux. Et n'oubliez pas que pour eux l'exemple est plus important que les paroles.

74

« CONTRE VENTS ET MARÉES »

« La prudence, dit-on, est mère de sûreté. » « Qui trop embrasse mal étreint. » « Le mieux est l'ennemi du bien. » C'est en ces termes que les personnes d'âge mûr, appuyées sur la sagesse populaire, s'efforcent de tempérer toute tentative hardie dont la jeunesse pourrait se rendre coupable.

On a dit également : « L'espérance est toujours punie. » Qui donc ? Stendhal en personne.

Se peut-il que cet esprit subtil, si aimable et si aimé, se soit rendu coupable d'une pareille hérésie ?

Ce préambule tend à vous faire admettre que les époques dites heureuses n'étaient peut-être que des époques gavées (pour les privilégiés qui faisaient la loi). Ces gens n'en étaient pas plus heureux pour ça, ni plus optimistes. Ils étaient, en somme, des gens gâtés.

Ce que nous ne sommes pas aujourd'hui. La vie est dure. Cela nous rend courageux. Tant mieux !

Bravo pour le jeune ménage qui, sans argent, décide, contre vents et marées, de faire construire une maison faute de trouver à se loger autrement. Il se peut que parents et beaux-parents lèvent les bras au ciel : « Êtes-vous sûrs de pouvoir vous acquitter ? La maladie est toujours possible ! Imprudence ! Folie ! » Allons ! Parents et beaux-parents montent-ils les escaliers en courant ? Ils n'ont plus le souffle de leurs vingt ans et halètent dès le troisième étage. De même les audaces de la jeunesse les effraient. Mais c'est la jeunesse qui a raison.

APPLICATION. Au lieu de jouer les rabat-joie, imprégnez-vous d'espérance au contact de vos grands enfants ; prononcez à leur intention les paroles qui les aideront à créer un foyer heureux.

75

NOUVEAU DÉCOR, IDÉES NOUVELLES

Évidemment, avoir vécu quarante ans dans un hôtel particulier d'une ravissante simplicité, entre deux jardins verts de cyprès et roses de roses, et cela au centre de Paris, c'est un délice auquel il est douloureux de renoncer. Je plains l'ami que les exigences de constructions nouvelles chassent de son paradis.

Mais cet ami est un des esprits les plus fins que je connaisse. Il a 70 ans et s'afflige de vieillir. J'aimerais lui faire comprendre que si nous prenons les événements comme il se doit, la rupture de nos chères habitudes peut être pour nous un élément de renouveau magnifique, d'autant plus que nous sommes plus liés à notre passé.

C'est un excellent tonique que de se trouver, tout à coup, transplanté dans un cadre neuf; mais à condition d'ouvrir sur ce monde des yeux neufs. Comment ne songe-t-il pas, cet amateur d'art, que ses Degas, ses Renoir, ses Vuillard prendront pour lui une valeur toute fraîche dans une lumière inaccoutumée?

L'habitude est une forme de l'usure, elle efface les contours de nos plus chères amours, les recouvre d'une poussière sous laquelle nous ne les voyons plus.

Lorsque la vie nous bouscule, elle a raison; c'est sa façon de secouer notre apathie.

Les formes et les idées nouvelles ne sont pas forcément mauvaises.

C'est pourquoi nous ne devons pas tempêter lorsque nos enfants affichent des idées différentes des nôtres.

C'est pourquoi nous ne devons pas prendre des airs pincés lorsqu'ils repoussent les vieux meubles que nous leur offrons avec amour et se jettent sur les dernières inventions des décorateurs modernes.

Ces inventions ne sont pas forcément laides.

Il est à peu près certain que lorsque le style Louis XVI a succédé au style Louis XV, il y eut des parents consternés : fi donc! aux volutes du roi bien-aimé, leurs enfants préféraient les lignes droites qui déjà annonçaient une révolution dans les mœurs et dans les lois!

J'avoue ne pas penser sans sourire à mon vieil ami installé dans un appartement ultra-moderne, aux parois coulissantes, un bar-frigidaire dissimulé dans sa bibliothèque; mais, sans envisager un changement aussi radical, je demeure persuadée que pour lui, comme pour nous tous, changement est synonyme de renouveau.

APPLICATION. Soyez « positif » en pensées, en paroles, devant tout changement et toute nouveauté. Les jeunes, sûrs d'être compris, ne feront plus la sourde oreille aux conseils de l'expérience.

NOUS ET NOS FRÈRES

76

NOUS ET NOS FRÈRES

Les autres et nous, tout est un. Lorsque nous faisons un pas en avant, le monde entier fait un pas en avant. Lorsque nous reculons, tout au monde recule.

C'est dans ce sens que Caïn était responsable de son frère et que, en tant qu'êtres humains, nous avons des responsabilités.

Notre attitude vis-à-vis de notre entourage le plus proche comme envers l'habitant du plus lointain des antipodes, vis-à-vis de nos contemporains dans le temps comme envers ceux qui vivront en l'an quatre mille, est déterminante, car ce n'est qu'à travers l'humain que le divin peut se manifester en ce monde. À travers nous, branchés sur la lumière, la lumière est ; nous sommes ses vivants témoins.

C'est par nos actes que nous devons en témoigner, et non seulement par des paroles.

Bref, en pensées, en paroles, en actions, nous devons aimer notre prochain comme nous-mêmes. Peu de notions sont plus répandues, il n'en est guère qui soient moins mises en pratique.

Ne nous perdons pas en considérations et voyons simplement, pratiquement, affectueusement, comment nous pouvons actuellement créer l'harmonie dans la petite portion d'univers où il nous incombe de vivre.

77

L'INDIFFÉRENT

Watteau a peint un jeune homme vêtu de satin pâle, infiniment gracieux et content de sa grâce, qui esquisse un pas de danse – d'autres prétendent qu'il joue au diabolo – dans la pénombre verte d'un jardin. On l'appelle l'Indifférent. Quelques années plus tard, un roi de France proclamait : « Après moi, le déluge. » Encore quelques années et un autre roi de France chassait, forgeait, sans daigner se rendre compte que la Révolution grondait. Jusqu'au jour où le trône de ses aïeux croula sous lui, avec lui.

Nous comptons parmi nous grand nombre de ces indifférents ; ils sont moins gracieux que leur homonyme du musée du Louvre, portent complet veston et cherchent « l'évasion » au cinéma, au café, n'importe où ; ils ont été « zazous » et sont à chaque saison quelque chose dans ce genre, à moins qu'ils ne s'occupent à collectionner des timbres, ou à pêcher à la ligne. Trait commun : ils refusent de s'intéresser aux problèmes de notre temps.

Tel ce garçon de vingt ans qui raisonnait en petit vieux :

— Moi ? Je ne lis pas les journaux : pas si bête ! Je ne m'occupe que de trouver un fonds de commerce tranquille et prospère ; j'espère épouser une femme gentille, et passer mes soirées en pantoufles, assis dans un fauteuil à écouter la radio…

— Comment ne songes-tu pas que ton commerce, ta femme, ta radio, dépendent de ce qui se passe dans le monde en ce moment ? Qu'un Chinois ait faim, qu'un Arabe ait soif, et tout ton programme peut crouler…

Mon indifférent n'a pas compris. Il n'a pas compris que tous les humains sont solidaires et que c'est refuser de nous intéresser à notre propre destin que de vouloir ignorer le sort des foules proches ou lointaines. Cet employé au chômage nous concerne, de même que ces ouvriers en grève, cette guerre lointaine, ces inondations en Asie, ces révoltes en Amérique espagnole. Notre voisin dont le salaire ne suffit pas à élever ses enfants, ce jeune ménage qui ne trouve pas de logement, tout cela nous concerne. Dans notre intérêt strict, si nous ne sommes pas capables d'autres sentiments, nous avons le devoir de ne pas les ignorer.

Nous avons le devoir de nous informer de ce qui se passe dans cet univers, car le moindre d'entre nous en est responsable. « Qu'as-tu fait de ton frère ? »

L'écho de cette question se prolonge, de siècle en siècle, jusqu'à nous.

Comment nous y reconnaître, dans la confusion des événements ? Deux clefs : la droiture, et le sens de la justice. Il n'y a aucune raison pour que les nations entre elles agissent moins honnêtement que d'honnêtes particuliers.

Tout ce qui tente d'obscurcir votre jugement en attisant peur ou haine se qualifie lui-même et doit être repoussé. Je vous ai assez parlé des ravages de la peur et des rancœurs dans notre existence, dans notre organisme même, pour insister.

APPLICATION. Cessez de maugréer contre les temps que nous vivons, repoussez la peur, toutes les peurs, la haine, toutes les haines ; considérez que parmi des millions d'humains vous êtes artisan de l'une des époques les plus importantes de l'histoire. Cette idée ne doit pas vous accabler, mais vous exalter. Vous aurez moins peur de la guerre, des bombes, des révolutions, lorsque vous maintiendrez en vous, fermement, calmement, une pensée positive de paix et d'abondance, créatrice de paix et d'abondance pour vous et pour le monde, dans l'immuable amour de tous les hommes.

78

COUPS DE PATTE

Cela est vite fait, cela est vite dit. Quel est celui d'entre nous qui, dans la chaleur d'une conversation générale, résiste toujours à l'envie de juger et griffer son prochain ? Il est tellement plus facile d'avoir de l'esprit en croquant un portrait satirique de ceux que nous connaissons – ou que nous croyons connaître – qu'en tressant des guirlandes à leurs louanges ! Il est heureusement des gens qui se mordent la langue après avoir parlé et qui voudraient bien rattraper le mot drôle et un peu méchant qui a tant amusé un cercle de gens charmants, mais point particulièrement enclins à la bienveillance. Les mots, hélas ! et surtout les mots piquants ne se rattrapent pas.

Il est une façon de pallier le mal qu'on a fait à autrui et à soi-même, car vous savez qu'il nous en cuit d'être amusants de cette façon.

Opérez un rapide rétablissement intérieur et, avec un peu de regret et surtout beaucoup d'humilité, présentez à la chaleur radieuse de l'Esprit qui est en vous l'être que vous venez de condamner. Que ces paroles inconsidérées vous soient une occasion de le vouer intérieurement au bonheur, à la prospérité, à la lumière.

Le plaisir que vous éprouverez à aimer après avoir cédé à la malice vous prouvera à quel point il est plus tonique d'être bienveillant.

79

PRÊCHI-PRÊCHA

Qu'on se le tienne bien pour dit : il est à peu près inopérant de prêcher à nos parents, à nos amis, les merveilles de la pensée créatrice – comme toute autre vérité – si nous ne prêchons pas, d'abord, par nos actes. Quel obèse a jamais persuadé personne de l'efficacité d'un régime pour maigrir ? Il peut parler : son tour de taille et la balance le démentent à qui mieux mieux.

N'assommons pas notre entourage de nos sermons ; nous avons mieux à faire, nous avons à donner l'exemple.

Dans une querelle, ne prononçons que des mots d'apaisement. Dans un danger, faisons rayonner autour de nous notre foi triomphante – car si notre foi est grande, le résultat est certain. Soyons patients, aimants, compatissants sans jérémiades, joyeux, réconfortants, courageux, indulgents. Il émanera de nous quelque chose d'assez rare en ce monde pour qu'on nous demande un jour : « Quel est votre secret ? » Il se peut que vos proches le connaissent, ce secret, mais qu'ils ne croient guère en son principe. Ils ne seront persuadés que par la démonstration.

Un mot de temps en temps, oui ; l'intuition vous guidera pour choisir le moment où vous pourrez faire entendre quelques points importants de cette grande loi du monde. Mais n'insistez jamais. Mieux vaut laisser les gens sur leur faim. Et puis, rappelez-vous que nul d'entre nous n'est seul, puisque l'Esprit nous habite. Dans bien des cas, il suffit, par une attitude paisible et rayonnante, de prouver que nous possédons la clé d'une joie oubliée ; soyez tranquille, ceux que vous aimez voudront aussi la posséder, et c'est l'esprit en eux qui les éveillera, à leur heure. Le harcèlement ne vaut rien en ce monde intérieur. Mais que chacun de vos gestes, chacune de vos paroles, portent témoignage. Un grand médecin n'a pas besoin de montrer ses diplômes, il se contente de guérir.

APPLICATION. Pas de discours : des actes.

80

BON JOUR…

Y avez-vous jamais réfléchi? Les expressions usuelles sont pleines de souhaits de bonheur. Bonjour? Cela ne signifie-t-il pas « Je vous souhaite une bonne journée »? Bonsoir? Cela ne veut-il pas dire : « Je vous souhaite une bonne soirée » ? Il convient de considérer qu'on trouve ces vœux dans toutes les langues, en anglais, en italien, en espagnol, en grec ancien et moderne, en allemand, et sans doute dans toutes celles dont je ne connais pas le moindre mot.

C'est ainsi que lorsque nous saluons l'être au monde qui nous est le plus indifférent, nous prononçons pour lui un appel au bonheur, et si nous nous libérons de la routine pour ranimer en nous le sens profond de ce que nous disons, il en résulte une pluie de bénédictions. Car toute bonne pensée porte ses fruits pour celui qui l'émet et celui qui la reçoit.

Ne perdons donc pas une occasion de dire « bonjour ». Il fut un temps où nul n'aurait pénétré dans un wagon, dans une salle d'attente, sans dire « bonjour » aux personnes présentes. Rares sont ceux qui ont conservé cette coutume. Pourquoi ne pas la ressusciter ? D'abord, c'est être poli. Ensuite, c'est faire doucement vibrer un peu de bienveillance, un peu d'amour, dans cet univers qui en a tant besoin.

Vous n'êtes pas sans savoir qu'un éternuement nous attire souvent un «À vos souhaits», ou bien «Dieu vous bénisse»? D'où vient cette coutume, si ce n'est du besoin d'annuler par des paroles bénéfiques la menace d'un rhume? Aujourd'hui, lorsque nous disons «À vos souhaits», c'est avec un sourire ironique, de crainte de paraître vulgaire. Mais faisons notre profit de l'enseignement que nous apportent ces anciennes traditions : elles nous apprennent que dans le passé les lois de la pensée et de la parole créatrice étaient connues de tous, et utilisées en toutes circonstances.

APPLICATION. «Bonjour, bonsoir, bonne nuit, bonne fête, bonne année, bonne chance, bon voyage…» En prononçant désormais ces formules usuelles, ravivez-en le sens, en les chargeant d'un désir profond d'apporter quelque chose de «bon». Et donner, comme vous le savez, c'est recevoir.

81

POLICE DE LA ROUTE

Un homme dont le métier exige qu'il parcoure la France en voiture à longueur d'année eut un certain nombre d'accidents jusqu'au jour où il a compris… Compris quoi?

Primo, que tout sentiment d'énervement, de critique, de colère contre les autres usagers de la route nuisait à ses réflexes, le mettait en état d'infériorité. À partir de ce jour-là, dit-il, cela alla beaucoup mieux. Mais il lui restait un pas à faire et ce pas, le voici.

Secundo: ces autres usagers de la route, il s'agissait, non seulement de ne point les traiter, même intérieurement, de noms plus ou moins injurieux, mais de leur adresser au passage des pensées d'amour. Mais oui! «Bénis soient tous ceux qui tiennent un volant sur les routes!!! Heureux soient-ils, et gardés de tout accident!»

Cela n'a l'air de rien, mais depuis lors, notre voyageur circule comme en paradis. Il ajoute même, ce qui fera peut-être sourire les sceptiques, que lorsqu'il lui est arrivé récemment de crever, ce fut exactement devant un garage.

Cela n'est pas surprenant. La loi est une, nous recevons ce que nous donnons et lorsque nous souhaitons à nos contemporains bon voyage et bon vent, nous en sommes les premiers bénéficiaires.

APPLICATION. Je vous conseille vivement d'ajouter ces notions à votre code de la route personnel.

82

« BROUILLAGE »

Dans son beau livre, *Les Béatitudes*, Mgr Chevrot rappelle un souvenir historique : « Saint Martin, vers la fin de sa vie, avait décidé de ne plus assister aux conciles qui réunissaient souvent les évêques de son temps parce qu'il avait éprouvé que les discussions doctrinales diminuaient son don des miracles. »

Et il s'agissait de discussions doctrinales qui sont tout de même au-dessus des disputes auxquelles nous prenons un vif plaisir.

Rappelons, en passant, que saint Martin est celui-là même qui coupa en deux son manteau pour le partager avec un pauvre. Il fut tenu, de son vivant, pour un saint.

Ne trouvez-vous pas merveilleux que cet homme, qui semait autour de lui tant de bienfaits, ait pu constater que la moindre controverse créait un « brouillage » tel que les pures émissions de joie et de vie n'étaient plus audibles ?

Il ne s'agit pas pour nous de faire des miracles, mais de vivre harmonieusement et de répandre cette harmonie autour de nous. Le «brouillage» des discussions est d'autant plus sensible que notre appareil enregistreur est d'un modèle bien imparfait; sa sélectivité, en particulier, est rudimentaire.

APPLICATION. Refusez-vous aux vaines discussions et, plus encore, aux querelles. Comment y parvenir ? Tant de gens sont d'enragés chicaneurs ! Tant d'autres aiment tant à vexer, à blesser !

1. Dès que le ton d'une conversation monte, baissez la voix.

2. Pendant que votre interlocuteur s'énerve ou s'exalte, priez pour lui en silence. Cela ne le calmera pas toujours sur le moment, mais un jour ou l'autre il en ressentira les effets. Quant à vous, vous demeurerez imperturbable, en paix, sur les hauteurs.

83

NE JOUEZ PAS
AVEC LES BOMBES

Il est des choses qui font froid dans le dos. Cette dame qui me dit : « Il est faux que nous obtenions ce que nous souhaitons. Il y a des années que je souhaite la mort de la femme qui m'a pris mon mari, et elle est toujours en vie. Il y a des années que je souhaite pouvoir m'acheter une petite maison et ne plus travailler chez les autres et je n'ai rien obtenu… » Textuel.

Pitié pour ceux qui nourrissent des pensées empoisonnées. Les malheureux ! Comment leur faire comprendre qu'ils jouent avec des bombes amorcées, et qu'il est impossible, absolument impossible, qu'ils voient la réalisation du plus simple, du plus légitime, du plus innocent des vœux s'il cohabite en eux avec une volonté de mort, de destruction ou de malheur pour autrui ? Car l'être humain qui désire la mort d'un autre être humain, quand bien même il s'agirait d'un criminel, n'a pas la moindre chance d'obtenir jamais la petite maison dont il rêve, le repos auquel il aspire.

C'est pourquoi, par les haines qu'elle engendre autant que par les destructions et les morts, la guerre est abominable.

Attenter à la vie, ne serait-ce qu'en pensée, souhaiter le mal à autrui, c'est nous mettre dans le courant pestilentiel de l'anéantissement total, et nous en sommes les premières victimes. Alors que pardonner à nos ennemis, c'est nous élever au-dessus de toutes les contingences humaines, comme un avion s'élève au-dessus des orages.

APPLICATION. Ne vous lassez pas de proclamer cette vérité, de l'enseigner autour de vous, par pitié pour cette humanité souffrante, qui connaîtra d'infinies tribulations tant qu'elle persistera à vivre dans la haine.

Ne vous lassez pas non plus d'envoyer aux méchants de larges et puissantes pensées d'amour qui finiront par éclairer leurs ténèbres. Vous ferez ainsi du très bon travail, dont vous recueillerez infailliblement le fruit.

84

CES ENTÊTÉS

Ce n'est jamais pour rien qu'un être humain est mis sur notre chemin : ce fait seul le désigne particulièrement à notre amour. Et tout le reste s'ensuit. Tout le reste, c'est-à-dire que nous avons mission de lui communiquer un atome de reconnaissance, un peu de sagesse, un peu d'espoir, un peu de joie, un peu de l'art de se connaître soi-même, et de maîtriser les humeurs négatives.

Presque toujours, l'amour triomphe. Mais il y a des rebelles ; leur subconscient se rebiffe lorsqu'ils sentent qu'on exerce sur eux une influence, même pour leur plus grand bien. Que faire, alors ? User sans résultat vos forces, vos nerfs ? Renoncer ? Contentez-vous de mettre de la distance entre eux et vous. Vous les aiderez plus efficacement de loin que de près. De loin, en pensée, vous pourrez ne voir que leurs qualités, alors que de près leurs réactions violentes, leur hargne, vous épuisent.

Il ne s'agit évidemment pas de ceux à qui nous sommes liés pour la vie, d'un mari ou d'une femme, mais dans ces cas même, une absence peut être profitable. Je parle aujourd'hui de ceux dont nous disons : « Après tout, nous ne sommes pas mariés », qu'il s'agisse d'un employé, d'un ami, d'un parent.

APPLICATION. Ne vous exténuez pas à lutter contre la résistance que ces gens-là opposent au bonheur ; secouez la poussière de vos souliers, et séparez-vous d'eux.

Cela n'implique pas que vous les abandonniez à leur esprit malin : pensez à eux avec amour, confiez-les à leur Guide intérieur. Il fera le travail mieux que vous. Ce que vous leur avez donné est acquis pour toujours, cela leur reviendra en temps opportun, d'autant mieux qu'ils n'auront pas l'impression de céder à une pression extérieure. Que voulez-vous ? Il y a de ces entêtés que Dieu seul peut convaincre.

LE BOUCLIER

Quelle attitude adopter vis-à-vis des méchants ? Voilà une question qu'on me pose souvent.

Dans l'un des journaux où j'ai travaillé, il était une malheureuse qui trouvait son plaisir à tourmenter toute la rédaction. Elle s'en prenait de préférence aux femmes, et elle a fait verser, en quelques années, des fleuves de larmes. Je dis une malheureuse, car bien qu'elle ait eu les plus magnifiques atouts dans son jeu, elle a subi durement le choc en retour des chagrins qu'elle a causés. Dieu veuille qu'elle ait compris et applique désormais sa grande intelligence à faire autant de bien qu'elle a fait de mal.

Cette dame, un jour, fit une confidence : « Il est quelqu'un que je laisse tranquille, c'est M. A… Les attaques glissent sur elle sans la blesser. » Le fait même que j'aie retiré plusieurs de ses victimes de ses pattes lui imposait du respect.

Et voilà. Je n'y ai aucun mérite. « L'Esprit en moi est mon bouclier », de même que « l'Esprit en vous est votre refuge et votre forteresse ». Pour qu'il y ait conflit, il faut être deux. Si vous ripostez, si vous criez : « Touché ! », le duel continue. Mais exercez-vous à ignorer les attaques, vous finirez par ne plus les sentir ni en pâtir, vous passerez indemne au milieu des conflits, et vous créerez la paix autour de vous. Si nous arrivions à maintenir l'idée de paix assez fortement ancrée dans notre conscience, notre subconscient et notre superconscient, il ne pourrait plus y avoir de guerre dans le monde, pas plus que de querelles dans notre vie privée. De même qu'on ne peut faire tourner la Terre à l'envers. C'est la loi.

APPLICATION. Ne vous contentez pas de lire ceci ; méditez-le, assimilez-le, et, surtout, mettez en pratique. Aux mots blessants, comme aux attaques qui vous atteignent en profondeur et risqueraient de saper votre bonheur, votre situation, vos affections, ne réagissez que par une affirmation catégorique, mais silencieuse : « L'Esprit en moi est mon libérateur... Je n'ai rien à craindre, la puissance spirituelle me protège... », ou telle formule qui vous viendra le plus naturellement à la pensée. Remplacez la rancune envers vos adversaires par la pitié, car ils sont à plaindre ; j'en ai eu la preuve, vous l'aurez aussi...

86

UNE FEMME HEUREUSE

Je connais une femme parfaitement heureuse. Elle a épousé, à dix-sept ans, l'homme le meilleur et le plus charmant, ils s'aiment depuis quarante ans ; jamais un nuage n'a assombri leur tendresse. Leur santé est excellente. Sept enfants, filles et garçons, sont bien portants, intelligents, travailleurs, bien mariés. Tout ce monde gagne honnêtement et largement de quoi vivre ; ils sont tous beaux, du plus petit jusqu'au plus grand, et l'harmonie règne dans cette vaste famille qu'égaient déjà de nombreux petits-enfants. Non point que les sujets de peine leur aient été épargnés : deux fils dans la R.A.F. au cours de la dernière guerre, voilà pour des parents un terrible sujet d'angoisse. Mais jamais leur mère ne douta qu'ils s'en tireraient, et tous deux sont bien rentrés.

La chance semble suivre Madeleine dans les grandes circonstances comme dans les plus petites. Perd-elle un objet ? Elle le retrouve comme par miracle. Elle voyage beaucoup, mais lorsque ses amis affolés apprirent que l'avion qu'elle devait prendre s'était écrasé au sol, ils furent informés qu'à la dernière minute elle avait rendu son billet, et pris le train…

Cette femme connaît-elle les lois? Non. Mais j'ai vécu quelques jours auprès d'elle, et j'ai compris : je n'ai jamais entendu la plus légère critique, le moindre mot malveillant ou amer sortir de ses lèvres toujours souriantes, toujours indulgentes. Elle trouve son plaisir à ne regarder que le meilleur côté des êtres et des choses. S'il arrivait à ses filles de formuler quelques réserves sur le comportement ou le caractère d'une belle-sœur, Madeleine intervenait aussitôt : « Peut-être, mais… » Et ce « mais » affirmait que celle qu'on accusait de gaspillage a un cœur d'or, que la bourrue est la loyauté même, la coquette une merveille de bonne humeur. L'intelligence de Madeleine s'exerce à ne chercher que les qualités de tous ceux qui l'approchent, et rien n'est reposant comme de vivre auprès d'elle.

Il n'y a pas à chercher plus loin le secret de cette existence réussie. Pour un sourire que Madeleine donne, la vie lui en rend mille. C'est la loi.

JE VOUS AIME

Nos pensées parlent plus fort que nos paroles. Ne vous est-il jamais arrivé de vous sentir mal à l'aise, auprès de gens qui vous prodiguaient des mots aimables? La suite des événements ne vous a-t-elle pas démontré que ces propos manquaient de sincérité? Votre appareil récepteur captait les pensées qu'émettait l'hypocrite, et votre subconscient murmurait: «Ce masque enfariné ne me dit rien qui vaille… Sois sur tes gardes…»

Nos pensées parlent, nos pensées crient, nos pensées hurlent sur les toits nos vrais sentiments.

Or, vous le savez: l'amour fait fondre haines et hostilités. Témoignez d'un sincère sentiment amical au pire des bourrus, il s'adoucira. Si ce n'est qu'un procédé, vous aurez beau afficher la douceur, vos pensées grinçantes en détruiront l'effet.

J'ai lu quelque part qu'il est trois mots souverains: «Je vous aime!» Avez-vous affaire à un fonctionnaire grincheux? Contemplez silencieusement en lui son Moi réel, son Moi tout bonne grâce et bonté, et pensez : « Je t'aime !… » C'est vrai : votre Moi réel ne peut qu'aimer, en esprit, tout ce qui est vivant en ce monde. Subissez-vous avec impatience la constante mauvaise humeur, les coups d'épingle, les avanies d'un parent, d'un camarade de travail, d'un supérieur ? Au lieu de le vouer à tous les diables, comme vous le faites vingt fois le jour, pensez : « Je t'aime ! » Si votre personne humaine regimbe, vous affirmerez sans crainte de vous tromper : « l'Esprit en moi aime l'Esprit en toi. »

L'effet est prodigieux. Les dissentiments fondent comme neige au soleil, l'hostilité s'effondre.

Je vous signale qu'il est des natures particulièrement haineuses sur les quelles la pensée « Je t'aime » semble, au premier choc (car c'est un choc), produire l'effet contraire : une recrudescence de violences (un peu comme un démon qu'on précipiterait dans un béni-tier). C'est le moment de persévérer, et d'intensifier. Le climat de l'amour semble au début irrespirable à ces êtres qui ont vécu dans la méfiance et les rancœurs : laissez-leur le temps de s'y habituer, on ne passe pas d'un seul coup du plein hiver au plein été…

Appliquez « Je vous aime », et vous verrez…

COMMENTAIRES. Lorsque ce papier parut dans la presse, il suscita une correspondance abondante, de nombreux témoignages positifs. Il vous sera certainement utile de prendre connaissance des effets obtenus par cette méthode révolutionnaire : car en ce monde l'amour est une révolution.

DEUX TÉMOIGNAGES

1. « J'avais lu cet article le matin même quand des contrôleurs d'électricité vinrent inspecter notre installation. Ils étaient de la plus méchante humeur possible et semblaient chercher une bonne raison de nous infliger une amende. Tous deux m'étaient terriblement antipathiques. Tout à coup, devant le gros homme qui essayait de m'effrayer, je fus saisie de pitié : "Tu as peut-être à la maison une femme acariâtre, ou bien tu souffres de l'estomac, mais moi, je t'aime…" Cette pensée visait uniquement le chef ; je ne parvenais pas à étendre à son subordonné, par trop désagréable, cet amour artificiel. Brusquement, comme une brise agréable se met soudain à souffler, le gros homme devint presque poli, s'excusa, et me donna des indications fort utiles, tandis que l'adjoint ahuri ne comprenait rien au revirement de son chef…

« Quelques jours plus tard, j'ai fait la contre-épreuve nécessaire pour démontrer le bien-fondé de toute théorie scientifique… J'allai à X… retenir une chambre dans un hôtel. La ville était comble. Je me mis immédiatement à penser que la directrice de l'hôtel était bonne, que je l'aimais… Elle n'avait pas de place chez elle, mais elle m'offrit de téléphoner à des confrères pour m'aider à trouver un logement. Elle mit tant de temps à chercher dans l'annuaire que je m'énervai et songeai : "Peut-on être directrice d'hôtel et ne pas savoir trouver un numéro de téléphone !" L'effet fut immédiat ; elle remit l'annuaire sèchement en place, et me dit sur un ton désagréable : "Après tout, cherchez vous-même…" J'étais maintenant bien décidée à adorer l'univers et effectivement j'ai trouvé une chambre convenable. »

2. « Nous avions des fermiers avec lesquels nous nous entendions fort mal, à tel point que je doutais de leur bonne foi. Les discussions avec eux étaient toujours pénibles et souvent violentes. Les choses allèrent plus mal encore lorsque, par suite des circonstances, mon mari et moi nous nous trouvâmes dans l'obligation de reprendre cette ferme. Il restait encore trois ans de bail et ils se refusaient absolument à céder.

« Je me suis dit alors : "Qu'il va m'être difficile de ne voir en eux que la perfection de l'esprit et de penser *Je les aime !*" J'ai pourtant fait cet effort, repoussant avec une patience acharnée tous les griefs que je pouvais avoir contre eux, toutes les pensées négatives qui me venaient à l'esprit chaque fois qu'il s'agissait d'eux. Je m'accrochai à quelques qualités que je leur reconnaissais et refusai de considérer quoi que ce soit d'autre.

« Résultat : ils sont partis d'eux-mêmes au bout de quelques mois, et la situation qu'ils ont trouvée leur agrée en tout point. Nous sommes maintenant en excellents termes et tout le monde est heureux… Car j'oubliais de dire que je n'ai pas cessé une seconde de demander que la solution leur soit aussi profitable qu'à nous-mêmes. »

N'est-ce pas merveilleux ? Mieux que merveilleux : cela porte le beau nom de réalité, lorsque la réalité est comprise comme il se doit.

Cette dame ajoute :

« *Et le bonheur conjugal ?* Ce n'est qu'à la suite de ces événements que j'ai compris que je n'appliquais pas assez ces méthodes dans mon propre foyer. J'ai constaté que, toute la journée, je me plaignais intérieurement de mon mari ; je l'accusais d'égoïsme, je l'accusais de mauvais caractère, et il ne se faisait pas faute, lorsqu'il sortait d'un mutisme que je lui reprochais également, de me dire des paroles désagréables auxquelles je répondais d'une façon non moins désagréable.

« On ne saurait dire que nous étions un ménage malheureux, mais nous étions de ces époux comme il y en a tant qui se supportent tant bien que mal.

« J'ai songé soudain : pourquoi n'appliquerais-je pas pour mon mari la méthode que j'ai appliquée pour les fermiers ? Désormais, au lieu de penser : "Je t'aime malgré…" Je m'efforce de ne voir en lui que ses bons côtés et à proclamer, à longueur de journée, "je t'aime" tout court. Les effets obtenus sont incroyables pour qui ignore les lois de la pensée créatrice. Il y a environ deux mois que je m'obstine ainsi, et mon mari est transformé. »

L'exemple de cette dame est très intéressant : elle montre que nous avons tendance à n'utiliser les lois de la pensée que dans certains cas définis, tandis que nous avons intérêt à les pratiquer partout et toujours, vis-à-vis de tous les hommes et femmes, en tout ce qui nous concerne, à tous les instants de notre vie.

L'habitude de subir est notre pire ennemie, ne l'oubliez pas. Ma lectrice était si accoutumée à subir son mari qu'il lui fallut l'évidence de résultats obtenus vis-à-vis d'étrangers pour qu'elle songe qu'elle pouvait tout aussi bien le transformer, lui…

APPLICATION. Considérez votre vie. Demandez-vous : à quoi me suis-je résignée ? Quels sont les ennuis chroniques auxquels je me résigne ? Et rappelez-vous : les femmes étaient résignées à accoucher dans la douleur, n'empêche qu'il suffit de les guérir de la peur, de leur révéler l'action souveraine d'une pensée positive, pour que ce vieux mal s'évanouisse… Et dissipez vos vieilles misères.

88

DITES-LE AVEC DES FLEURS...

Du 24 décembre au 1er janvier, nous baignons dans le sucre des bons vœux. Tout n'est que souhaits de bonheur, fleurs, douceurs, cadeaux, rubans, cheveux d'anges, congratulations, bénédictions.

Tant mieux. C'est déjà ça. Mais c'est court. Trop court.

Chaque fois que je sors du petit monde bienveillant où je vis, j'ai la même surprise : de quel ton hargneux, avec quelles voix aigres se parlent des gens qui s'aiment! Tel mari qui, si sa femme le quittait pour un monde meilleur, mourrait peut-être de chagrin, ne s'adresse à elle qu'en faisant la grosse voix; telle femme, qui se laisserait périr de dépit si son mari clignait un œil vers une séductrice, le querelle du matin au soir et du soir au matin. Ce qui pis est, les enfants imitent Papa ou Maman; ici des blancs-becs tiennent insolemment tête à leur mère, là, le père est la tête de Turc d'adolescents irrespectueux.

Jamais un mot gentil, jamais un compliment. On tient toute bonne chose pour due, alors que la moindre anicroche est prétexte à grognements. «Tais-toi! Tu ne dis que des bêtises! Tu n'en fais pas d'autres!…» J'écoute cela, bouche bée.

Soit dit à la décharge du sexe féminin: ce sont surtout les hommes qui détiennent l'apanage des colères à propos de rien.

La trêve de Noël ne pourrait-elle se prolonger les trois cent soixante-cinq jours de l'année? Est-il difficile de dire le bien qu'on pense et de tempérer un reproche d'un peu de courtoisie? Car ces époux irascibles pensent du bien de leur femme, mais ils ne le disent jamais. Comme si un éloge pouvait faire pâlir leur autorité.

Je me rappelle le conseil que le père de l'un de mes amis lui donna la veille de son mariage:

– Veux-tu être heureux? Fais un compliment à ta femme à déjeuner, embrasse-la après dîner, et laisse-lui la paix le matin…

Monsieur, tout ce que vous direz à Madame, tout ce que vous, Madame, direz à Monsieur, dites-le avec des fleurs.

89

LES PERSONNES
AVANT LES CHOSES

Qu'y a-t-il de plus précieux au monde? L'être humain. Qu'y a-t-il de plus méprisé, de plus bafoué, de plus méconnu? L'être humain.

Pour un morceau de terre, une question d'intérêts, de prestige, on sacrifie au son du clairon des millions d'êtres humains dans les guerres; et quotidiennement, pour des questions de sous, on soumet des millions d'hommes, de femmes, d'enfants, à toutes les formes, grandes et petites, de l'esclavage.

Là encore, commençons par nous; sommes-nous sûrs de ne pas faire passer bien des choses avant l'essentiel, avant nos amours? Quelques mots d'une vieille dame ont été pour moi une révélation:

« Nous étions, mon mari et moi, un très bon ménage. Mais soudain, notre bon ménage est devenu ce mariage délicieux dont La Rochefoucauld prétend qu'il n'existe pas…

« J'avais passé ma journée à écrire à la machine, comme d'habitude, et je tapais encore allégrement, lorsque je m'arrêtai net : mon mari allait rentrer, et je songeai pour la première fois de ma vie qu'à son retour, chaque soir, je lui jetais un distrait "Bonsoir" par-dessus l'épaule ; je ne me levais pour l'embrasser que lorsque j'avais fini ma page et scrupuleusement rangé mes affaires de bureau.

« Je me hâtais, certes, mais j'eus conscience, en un éclair, que j'avais mieux à faire...

« Ce soir-là, lorsque j'entendis sa clef dans la serrure, je lâchai mon travail et j'allai au-devant de lui.

« "Quel bonheur ! me dit-il. D'habitude en entrant je ne vois que ton dos, aujourd'hui je vois ton sourire !"

« Un courant d'intimité plus tendre se créa immédiatement entre nous, après quarante ans de vie conjugale ! Et je compris qu'une des raisons pour lesquelles la joie ne règne pas entre tant d'époux, dans tant de foyers, c'est tout simplement parce qu'on fait passer les objets avant les personnes ; j'avais fait passer mes papiers, ma machine, avant mon mari... »

C'est vrai. Les petits faits de la vie matérielle priment sur les grandes préoccupations du cœur et de l'esprit. Combien d'enfants sont butés parce que, dès que leur mère les aperçoit, ce ne sont que reproches pour une veste tachée. Un verre brisé, et voilà un dîner voué aux lamentations ; une petite somme, un bijou perdus, et voilà une soirée vouée aux regrets.

Non, ça n'est pas sérieux. Nous sommes tous capables de maladresses ; laissons courir... Par sot et inutile énervement, ne négligeons pas de vivre l'instant précieux de calme et de confiance où les cœurs s'épanouissent.

APPLICATION. Faites toujours passer les personnes avant les choses...

90

LE FAUX AMOUR

Cela nous amène à dire quelques mots de l'amour. Il faut évidemment avoir pitié des amoureux en peine, comme on a pitié des malades : certaine forme de la passion est une maladie. Le malheur est qu'on confonde l'obsession névrotique avec un sentiment profond et réel.

La femme qui avoue que, de travailleuse et courageuse qu'elle était, elle en est venue à tout négliger, celle qui ne dort plus qu'à force de somnifères et « passe ses nerfs » sur son entourage, celle qui se dit prête à accomplir « un acte de désespoir » avoue en même temps, sans s'en rendre compte, que son cas relève d'un traitement à la fois sédatif et tonique. Car si demain l'homme qu'elle croit aimer lui tombait dans les bras, elle trouverait encore mille raisons de se torturer : ne serait-ce que la jalousie. Une seule différence : elle aurait l'agrément de le faire souffrir, lui, par raccroc.

Car le tourment est en elle, et c'est le tourment qu'il lui faut extirper, pour trouver l'amour heureux.

Qu'elle commence par interrompre l'éternelle ren-gaine de ses lamentations auprès de ses confidentes : nous plaindre et nous faire plaindre, c'est nous brancher volontairement sur les ondes les plus négatives qui soient.

Enfin, ces amoureuses qui ressemblent aux vraies, comme la fausse oronge ressemble à l'oronge tout court, confondent les lois de la pensée créatrice avec je ne sais quelle magie qui leur permettrait d'agir sur un récalcitrant, et le leur amènerait pieds et poings liés. J'ai le devoir de les détromper. J'ajoute même que si un quelconque fakir leur proposait les éléments de ce jeu-là, elles devraient s'enfuir au plus vite sous peine d'en pâtir : nous n'avons pas le droit d'utiliser les lois de la pensée pour attenter à la liberté d'autrui.

Je vous l'ai dit – il est légitime de demander le bonheur, l'amour, la prospérité, la santé, tous les biens, de nous brancher sur les admirables ondes positives, *mais pour tous les êtres au monde autant que pour nous-mêmes*. Notre intérêt particulier est inséparable du bien de tous. Notre pensée n'est forte qu'autant qu'elle s'élève au-dessus du particulier.

L'amoureuse frénétique qui est incapable de se maîtriser doit commencer par se brancher sur des ondes de paix en ne prononçant que des paroles de paix, en n'admettant que des pensées de paix. L'Esprit en elle est sage : qu'elle s'en remette à lui

pour savoir se conduire bellement et raisonnable-
ment. Qu'elle transmue l'ardeur qui est en elle, cette
ardeur nuisible, en un immense élan généreux. Alors
l'amour viendra à elle comme les papillons vont à la
lumière.

Cela n'est pas facile. C'est pourquoi il peut être
sage de consulter un médecin qui aidera la nature
à retrouver l'équilibre que trop de folies lui ont fait
perdre.

91

JALOUSIE

J'ai eu récemment le triste privilège de me trouver en rapport avec une femme qui vit dans toute son horreur cet état d'égarement. Jalouse de son mari, elle ne m'a rien épargné de ses affres, ni de ses erreurs ; c'est ainsi que j'ai vu cette dame, par ailleurs délicate, fouiller dans les poches de son époux, se livrer à l'espionnage le plus monstrueux.

Comment lui faire comprendre, et à tous ceux et celles qui sont dans ce cas, que prendre un peu de strychnine tous les matins dans leur petit déjeuner ne serait pas plus néfaste ?

La plupart croient avoir une excuse : « Je l'aime… » Eh bien ! non, cela n'est pas aimer. Tout ce qui n'est ni généreux ni délicat n'a rien à voir avec l'amour.

La malheureuse femme qui m'a fait ces confidences a d'ailleurs en partant lancé le mot de la fin : « Je suis très orgueilleuse. »

Seigneur ! Qu'est-ce que l'orgueil a donc à voir lorsque de vrais, de riches sentiments sont en jeu ? Si vous êtes jaloux, ne vous prenez pas en pitié, traitez-vous vous-même avec une extrême dureté, ne vous permettez aucune bassesse, contraignez-vous à faire abstraction de tout soupçon, à refuser même de voir l'évidence, et répétez-vous du soir au matin : « Je l'aime comme il m'aime, d'un amour désintéressé. » Et vous guérirez, et vous retrouverez, avec la santé d'esprit, l'amour vrai.

92

PEINES DE CŒUR

Lorsqu'on nous a commandé d'aimer notre prochain comme nous-même, on nous a donné la clef du bonheur. Aimer notre prochain comme nousmême, c'est penser à lui autant que nous pensons à nous. C'est nous occuper de lui autant que nous nous occupons de nous.

Il n'y a pas d'exceptions. Tous les gens malheureux qu'il m'a été donné de rencontrer ne pensent qu'à eux, ne parlent que d'eux ; ils ressassent à satiété leurs chagrins, leurs rancunes, leurs inquiétudes. C'est peut-être pourquoi, à épreuves égales, les hommes sont moins malheureux que les femmes. Ils ont leur métier, leurs occupations, qui les tirent forcément de la contemplation obstinée de leurs soucis, en les sortant quelques heures par jour de leur « moi-moi-moi ». Il est bon de le constater, mais constater n'est rien sans soigner, et guérir… Il fut un temps où lorsque j'avais de ces chagrins d'amour qui font le désespoir des jeunes filles, mue par l'instinct qui m'a toujours portée vers la recherche de l'équilibre, je m'astreignais à faire une traduction.

Traduire, n'est-ce pas sortir de soi-même, renoncer à son propre moi et à son propre langage pour adopter le moi, le langage d'un autre être humain ? Façon comme une autre d'aimer son prochain comme soi-même.

Vous qui souffrez, vous qui êtes obsédé par des peines obsédantes, sachez que vous ne vous en tirerez pas à moins de sortir de votre moi-moi-moi, de vous vouer à quelqu'un, ou à quelque chose qui ne soit pas vous.

93

MARIONS-NOUS

Comment appliquer la pensée créatrice pour trouver un mari ou une femme ? Telle est la question que me posent ceux qui s'affligent de voir le temps passer sans leur apporter la joie légitime de fonder un foyer.

Qu'ils retiennent bien ce mot : légitime. Il est légitime qu'une femme ait un mari, qu'un homme ait une femme, des enfants ; de même qu'il est légitime de se bien porter, et d'avoir de quoi vivre. Tout cela fait partie du plan harmonieux établi de toute éternité pour chaque individu. Lorsque ce plan ne se réalise pas, c'est que nous y faisons nous-même obstacle, sans nous en douter, et souvent en croyant agir pour le mieux,

Il importe, d'abord, ainsi que pour toute réalisation, ainsi que pour tout travail en ce monde, d'utiliser un bon instrument. Dans le domaine de la pensée créatrice, l'instrument, c'est nous, notre corps physique, notre caractère. On ne fait rien de bien avec un instrument tordu, ne s'agirait-il que de scier une bûche ou de coudre un ourlet. À plus forte raison lorsqu'il s'agit des grandes réalisations de notre existence. Donc, acquérir les droites et saines habitudes de pensée, rectifier notre caractère dans ce sens.

Et puis, ne point douter. Quelle est la catherinette qui n'est jamais saisie par l'angoisse de rester fille ? Chasser cette inquiétude, la remplacer par l'assurance que le mari qui fait partie de toute existence féminine normale ne peut manquer de se manifester. L'affirmer aussi souvent que l'idée traverse la pensée.

Où le trouver ? Une fille cherche un mari, mais il est quelque part, de par le monde, un homme qui cherche une femme, la femme qui lui est précisément destinée. Les obstacles qui les séparent sont le fait de pensées négatives. Transmuez ces pensées en pensées positives, et par ce qu'on appelle hasard, et qui est l'application d'une loi dont les merveilleux effets échappent souvent à notre entendement, cet homme et cette femme se rejoindront un jour, et sous ces auspices, leur union ne pourra être qu'heureuse.

Il n'y a point d'anomalie en esprit. Or, il est anormal qu'une jeune fille ne se marie point. Soyez donc bien tranquille. Offrez à la vie un large sourire confiant, croyez de toutes vos forces, et il rayonnera de vous une douceur si attirante que vous aurez bientôt l'embarras du choix.

Dans ce choix, l'esprit en vous vous guidera, n'ayez crainte. L'épanouissement total de votre existence, de votre être vous sera donné. Il vous est dû.

94

RÉCONCILIATION

Une veuve et un divorcé se marient. Il a un fils de douze ans, elle a une fille d'une quinzaine d'années. Dès le début, les enfants sont jaloux l'un de l'autre ; chacun prend le parti de son rejeton, et les querelles commencent. La situation s'aggrave du fait que le mari doit payer une forte somme à sa première femme, ce qui crée une situation financière extrêmement difficile. Or, chacun sait que lorsqu'il n'y a pas de foin au râtelier, les ânes se battent. Au bout de deux ans, les rapports sont si tendus, chaque conversation dégénère en si graves disputes que la femme décide de travailler de son côté ; elle prend ses repas seule avec sa fille, tandis que le mari mange seul avec son fils. Lorsqu'on se croise dans la maison, on échange des quolibets ou des injures.

Il est difficile d'imaginer à cette situation un autre remède que la séparation définitive.

Or, un beau jour, le quartier qui prenait fait et cause qui pour le mari, qui pour la femme, voit, ébahi, passer le couple bras dessus bras dessous, précédé par les deux jeunes gens qui rient de bon cœur, en gamins qu'ils sont. Réconciliation générale !

Que s'est-il passé ?

Nul événement, mais l'accomplissement de la loi que vous connaissez : Mme X... et sa fille ont pris la décision de ne plus répondre aux injures, pas plus qu'aux quolibets, de pardonner du fond de leur cœur, et de ne penser qu'amour chaque fois qu'elles rencontreraient le père et le fils, ou que leur image leur traverserait l'esprit.

Elles prirent également la détermination de ne plus commenter ensemble les mauvais procédés dont elles étaient l'objet, de voir les qualités de travail, d'honnêteté, dont l'homme et l'enfant ne manquaient point ; ne voir que ces qualités, et éviter toute explication.

En quelques jours, l'atmosphère changea dans la maison. Les rencontres n'étaient plus prétexte à aigreur. Un matin, le mari, croisant sa femme, lui dit simplement :

– Que nous fais-tu de bon à déjeuner ? C'est l'anniversaire de notre mariage.

C'est ainsi que reprirent les relations normales. Il n'y eut même pas besoin de passer l'éponge, car les griefs ne furent point évoqués.

Ceci nous prouve que le pardon est plus qu'un sentiment : c'est une force qui déclenche d'admirables effets.

APPLICATION. Utilisez la force du pardon dans votre entourage, utilisez-la sur le plan de votre vie privée comme sur le plan des relations nationales et internationales. Le pardon, c'est la paix en soi, autour de soi, et dans le monde.

UN INSIGNE ? NON...

Une lectrice m'a écrit qu'elle voudrait crier à tous que le bonheur est en eux, afin d'aider notre monde inquiet à connaître la joie intérieure dont elle déborde. C'est bel et bon.

Elle aimerait, cette lectrice, que l'on crée un insigne qui désignerait à l'avance ceux qui pourraient échanger sourires et entraide... Là, je dis : « Halte-là ! »

Pas d'insigne... Dieu nous en garde ! Qu'adviendrait-il de nous, si notre amour pour tous les êtres attendait, pour se manifester dans sa plénitude, la vue d'un bout de ruban ? S'il existait cet insigne, notre plus beau sourire, notre aide la plus efficace devraient aller à ceux qui ne le porteraient point. Ce sont ceux-là qui ont le plus besoin de nous... C'est à eux que nous devons le meilleur de nous-mêmes.

Nous sommes dans le domaine de la vie intérieure ; la grande force spirituelle n'a pas besoin, pour se manifester, de signes extérieurs. Nos frères, ce sont ceux qui pensent et aiment comme nous, mais aussi tous les êtres, à quelque race, à quelque croyance, à quelque parti qu'ils appartiennent. Plus ils semblent loin de nous pour des raisons humaines, plus l'amour fraternel, spirituel, divin, doit nous rapprocher d'eux. Et si nous devons nous distinguer, ce n'est que par une immuable paix, par le rayonnement de la joie que nous portons en nous, et que nul événement ne peut entamer. Car elle brille sur le monde sans être de ce monde. Et peut-être même brille-t-elle ainsi parce qu'elle n'est pas de ce monde. Elle le dépasse, et pourtant l'éclaire, comme le soleil qui dépasse tout, éclaire tout, donne partout la vie.

EN CONCLUSION...

Vous avez achevé la lecture de *La Pratique du bonheur,* et peut-être vous apprêtez-vous à ranger le livre dans votre bibliothèque. Or, son titre ne lui a pas été donné par hasard, la pratique est essentielle, si vous souhaitez acquérir les habitudes qui rendent heureux.

« Le bonheur n'est pas un événement, c'est une aptitude », disait La Rochefoucauld. J'ajoute : une aptitude peut s'acquérir.

Si vous souhaitez transformer votre existence dans la joie, je vous conseille de reprendre ce petit volume, d'en lire un chapitre par jour – de préférence le soir avant de vous endormir, afin que votre subconscient l'assimile pendant le sommeil – et de vivre la journée suivante conformément à ce que vous avez appris. Ne vous laissez pas décourager par vos défaillances, et repartez, à chaque écueil, de zéro.

Peut-être imaginez-vous que certains chapitres ne vous concernent pas, telle la partie consacrée aux enfants. Vous n'en avez pas vous-même ? Mais que de personnes majeures sont de grands enfants! En fait, nous sommes tous des nourrissons, tant que nous n'avons pas appris la science la plus ignorée : vivre. Aimez comme vos propres fils et filles ceux avec lesquels vous entrerez en contact ces jours-là, aidez-les à voir clair.

Ce que je vous dis demande à être médité et adapté par vous à votre situation. Si vous savez réfléchir, vous trouverez dans *Le bonheur est en vous* et dans *La Pratique du bonheur* une réponse à tous vos problèmes. Il n'existe pas de « recette » limitée à un cas, c'est pourquoi il m'est souvent difficile de répondre aux lettres qui me demandent des directives pour une situation particulière. On ne peut obtenir un résultat sans pratiquer la loi de la pensée créatrice tout entière, de même qu'il serait impossible d'écrire en n'employant que deux ou trois lettres de l'alphabet, de faire marcher une machine en n'utilisant que quelques-uns de ses rouages. En réalité, ne m'appellent à l'aide que ceux qui se refusent à admettre que tout se tient dans le domaine où la pensée crée comme en toutes choses de ce monde, que nos affaires temporelles peuvent pâtir d'un vieux ressentiment enfoui dans notre subconscient, notre santé dépendre de la peur encore plus que d'un microbe, le doute annihiler nos dons les plus brillants.

Les difficultés auxquelles vous vous heurtez ne doivent pas vous décourager : plus la matière que nous devons travailler est dure, plus le travail est beau ; le marbre est plus dur à sculpter que la terre glaise, mais les marbres de Michel-Ange sont éternels. Tout ce qui se construit en ce monde, depuis la maison que vous habitez jusqu'à la plus belle des cathédrales, n'est que l'utilisation d'une résistance : la résistance des matériaux. Si les matériaux n'opposaient aucune résistance, cathédrales et maisons s'écrouleraient.

Il faut avoir du cran, contre vents et marées. Dans les combats de l'Antiquité, contre des milliers de tués parmi les vaincus, c'est à peine si les vainqueurs en comptaient une centaine (à Marathon, 6 400 barbares tués contre 192 Athéniens). Pourquoi ? Au premier fléchissement, une armée entière prenait la fuite, et les fuyards étaient aisément massacrés.

Ne fuyez pas.

C'est quand nous cédons à la panique que le malheur nous atteint.

Le destin frappe dans le dos.

Faites face.

TABLE

NOTRE GUIDE INTÉRIEUR

LA SANTÉ

LES ENFANTS

NOUS ET NOS FRÈRES

RÉALISATION : IGS-CP À L'ISLE-D'ESPAGNAC
IMPRESSION : MAURY IMPRIMEUR À MALESHERBES (45)
DÉPÔT LÉGAL : AOÛT 2015 - N° 128533 (199914)
IMPRIMÉ EN FRANCE